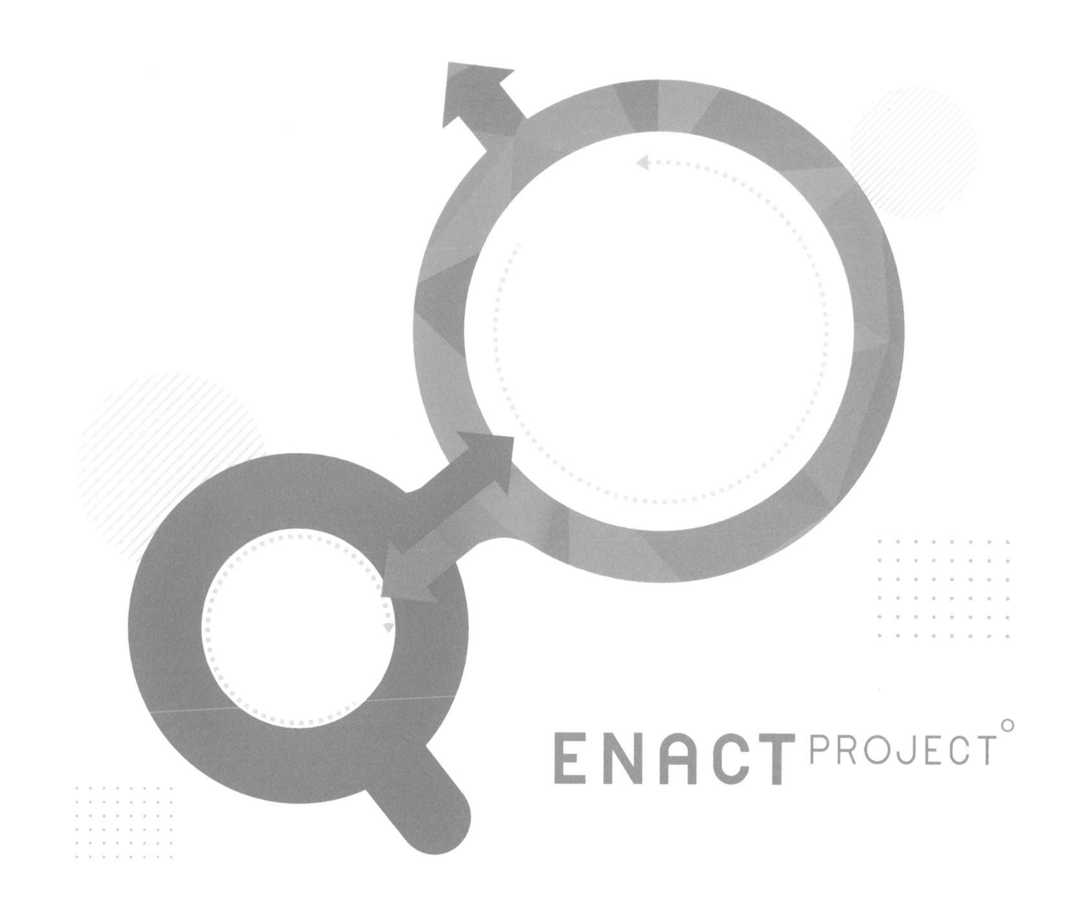

함께 해보는
과학기술 쟁점해결과 실천
ENACT 프로젝트

이현주 · 황요한 · 고연주 · 최유현
옥승용 · 남창훈 · 심성옥 · 김가형 지음

박영story

우리는 삶 속에서 과학기술과 관련된 크고 작은 쟁점들을 마주한다. COVID19 팬데믹 상황만 보더라도 백신의 안전성과 효용성에 대한 논쟁이 끊이질 않는다. 백신이 분명 인간의 건강과 안전에 큰 기여를 하고 있음에도 불구하고, 예상치 못한 부작용으로 인해 두려움을 주는 것도 사실이다. 또한 백신을 둘러싼 입장들이 제각기 달라, 백신패스나 방역 지침 등의 제도도 운영에 있어 혼란을 야기한다.

이뿐만이 아니다. 지난 몇 년간의 뉴스기사만 검색해보더라도 과학기술과 관련된 쟁점들을 쉽게 찾아볼 수 있다. 급속한 개발로 인한 생태계 파괴와 기후변화, 심심치 않게 발생하는 싱크홀과 건물 붕괴, 원자력 발전을 지속해야 하는지에 대한 공론화, 미세플라스틱으로 인한 해양오염, 가습기 살균제 등 위험한 화학물질에 노출되었던 사건 등, 셀 수 없이 많다. 이와 같은 쟁점들을 이 책에서는 '과학기술관련 사회쟁점(Socioscientific Issues, SSI)'이라고 칭한다.

ENACT 프로젝트는 첨단 과학기술의 급속한 발달로 인해 발생하는 사회쟁점에 함께 관심을 갖고 해결해보자는 취지에서 시작되었으며, 한국연구재단의 연구비 지원을 받아 3년간(2019년 7월–2022년 6월) 진행되었다. 이공계 전문가가 될 이공계 대학생이나 중·고등학생들, 과학기술로 인한 문제해결에 관심 있는 시민들 누구나 ENACT 프로젝트에 참여할 수 있다. ENACT 프로젝트는 참여자들이 쟁점들을 탐색하면서 현대 사회의 과학기술이 지닌 복잡성과 불확실성을 이해할 뿐만 아니라, ENACT라는 단어에 포함된 "실행"의 의미처럼 본인의 지식과 기술을 활용하고 다양한 이해관계자와 소통하면서 문제해결방안을 제시하고 공유하는 기회를 경험하게 한다. 우리는 이러한 경험이 우리 사회를 보다 지속 가능하게 만들어 나가는 씨앗이 될 수 있을 것으로 생각한다.

이 책은 크게 네 개의 Chapter와 Workbook으로 구성되어 있다.

『Chapter 1. ENACT 프로젝트 시작에 앞서』에서는 우리가 삶에서 직면하고 있는 수많은 과학기술 사회쟁점을 통해 현대 사회에서 과학기술은 과연 어떠한 본성을 지니고 있으며, 왜 그러한 본성을 이해하는 것이 중요한지에 대해 생각해보도록 안내한다. 그리고 ENACT 프로젝트의 근간이 되는 SSI 교육에 대해서도 간단히 소개한다.

『Chapter 2. ENACT 프로젝트 알아보기』는 ENACT 프로젝트가 무엇이며, 어떠한 배경에서 시작하게 되었는지 그 취지와 목표, 특징 등에 대해 알아본다. 그리고 ENACT 프로젝트의 주된 뼈대인 두 개의 Cycle과 5단계 모형을 소개한다. ENACT 프로젝트는 과학기술의 본성에 대한 충분한 이해가 있어야 보다 책임감 있는 해결방안을 제시할 수 있을 것이라고 믿기 때문에, 과학기술의 본성을 이해하는 Cycle I과 쟁점 해결과 실천을 강조하는 Cycle II로 구성되어 있다.

『Chapter 3. ENACT 프로젝트 수행하기』에서는 ENACT 프로젝트의 5단계에 대해 설명한다. ENACT 프로젝트는 1) 쟁점발견(Engage in SSIs), 2) 쟁점탐색(Navigate SSIs), 3) 미래상황예측(Anticipate consequences), 4) 과학·기술·공학적 쟁점해결(Conduct scientific and engineering practices), 5) 사회적 실천(Take action)의 순으로 진행되며, 각 단계의 앞글자를 따면 ENACT가 된다. 각 단계의 의미와 강조점, 실행 전략들을 예시와 함께 자세히 설명해준다.

『Chapter 4. ENACT 프로젝트 수행사례』에서는 지난 3년간 대학생과 중·고등학생들이 수행했던 ENACT 프로젝트 사례를 소개해 놓았다. ENACT 프로젝트를 어떻게 수행해야 할지 막막하다면, 이 Chapter에 소개된 다양한 사례들을 살펴보는 것이 도움이 될 것이다. ENACT 프로젝트에 적합한 주제는 무엇인지, 각 단계별로 무엇을 어떻게 해나가야 하는지, ENACT 프로젝트의 결과물로 무엇을 제시할 수 있는지 등을 구체적으로 살펴볼 수 있다.

마지막으로 『Workbook』은 ENACT 프로젝트에 관심 있는 누구나 실행해볼 수 있도록 단계별 중요 질문들과 수행방법을 제시해놓았다. 동료들과 함께 이야기하면서 질문들에 대해 답해 나가다보면 한 단계 한 단계 마무리 할 수 있도록 쉽게 구성하였다. 도움받기, Checklist, 성찰일지 등을 적극 활용해보길 권한다. ENACT 프로젝트 홈페이지(http://enactproject.com)를 방문하면 온라인으로도 Workbook을 채워나갈 수 있다. 이 책을 읽은 독자들이 함께 해본 ENACT 프로젝트 결과물을 연구진과 공유해준다면, 홈페이지를 통해 더 많은 사례들을 모으고 나눌 수 있을 것으로 기대된다.

지난 3년간 ENACT 프로젝트에 참여해서 좋은 사례들을 만들어준 한경대학교 사회안전시스템공학부, 충남대학교 기술교육과, 이화여자대학교 과학교육과 및 환경공학과, 춘천교육대학교, DGIST 학부생들과, 이화여대 사범대학부속 이화·금란고등학교, 성주여자고등학교, 숭문중학교 학생들, 그리고 ENACT 프로젝트를 적극적으로 운영해주신 조경숙 교수님(이화여대 환경공학과), 박기문 교수님(충남대), 최윤희 선생님(숭문중), 박재한 선생님(이대부고), 홍영지 선생님(영동중), 조상현 선생님을 비롯한 여러 교수님과 현장 선생님들의 노고에도 진심으로 감사의 말씀을 드린다. 또한 ENACT 프로젝트 운영 및 연구 진행을 위해 여러모로 애써준 이경미, 홍지연 대학원생(이화여대 과학교육학과)에게도 감사의 마음을 전한다. 마지막으로 이 책이 발간되기까지 애써주신 박영스토리 배근하 과

장님께도 감사드린다.

아무쪼록 이 책이 과학기술로 인한 사회쟁점에 관심을 갖고 있는 시민이나 학생들, 그리고 과학기술분야로 진로를 고민하는 학생들에게 과학기술에 대해 되짚어보고 함께 쟁섬해결로 나아가는 가이드라인으로서 널리 활용될 수 있길 바란다.

2022년 2월

ENACT 프로젝트 연구진

CONTENTS

목차

CHAPTER 03 ENACT 프로젝트 수행하기

CHAPTER

01

ENACT 프로젝트 시작에 앞서

ENACT PROJECT

SECTION 01 위험사회를 살아가는 우리들

SECTION 02 과학기술이 만들어 낸 다양한 쟁점들

SECTION 03 쟁점 속에 숨겨진 과학기술의 본성

SECTION 04 과학기술관련 사회쟁점 교육이 왜 필요할까?

SECTION 01

위험사회를 살아가는 우리들

우리는 삶 속에서 크고 작은 위험들에 노출되어 있다. 지난 몇 년간의 뉴스기사만 검색해보더라도 위험 사례들을 쉽게 찾을 수 있다. 많은 사람들을 폐질환의 고통으로 몰아넣었던 가습기 살균제 사건, 일본 후쿠시마 원자력 발전소 사고와 관련된 피해들, 플라스틱 과다 사용으로 인한 미세플라스틱 문제, 기후변화가 가져온 신생 전염병, 도시에서 적지 않게 일어나는 싱크홀과 건물 붕괴 등 정말 셀 수 없이 많다. 이러한 위험들은 왜 계속 발생할 수밖에 없을까?

사회학자 울리히 벡(Ulrich Beck)은 우리가 사는 현대 과학기술 사회를 '위험사회(risk society)'로 칭했다. 말 그대로 과학기술을 중심으로 한 급속한 산업화가 우리가 예상치 못했던 많은 위험들을 생산하고, 그 위험들이 우리 삶을 위협하고 있다. 이전에 인류가 직면했던 위험들의 대부분이 지진이나 화산, 해일, 가뭄, 홍수와 같은 자연재해였다면, 이제는 자연재해보다 인간이 만들어낸 위험들이 더 많은 듯하다.

물론 과학기술은 인류가 직면한 수많은 문제들을 해결해주었다. 의학의 발달은 건강한 삶을 영위하고 생명을 연장하는 데 엄청난 기여를 했으며, 유전자 조합기술은 더 좋은 품질의 식량을 대량 생산하는 데 결정적인 역할을 하고 있다. 인공지능이나 로봇, IoT 등 첨단 과학기술은 일의 효율성과 생산성을 높여주었으며, 스마트폰은 전 세계 어느 누구와도 연결될 수 있는 초연결 사회를 가져왔다. 이처럼 과학기술의 발달은 우리의 상상을 현실로 바꾸어주고, 인류에게 또 다른 밝은 미래를 꿈꾸게 해주고 있다.

하지만, 어느 시점부터 우리는 과학기술의 또 다른 면을 보게 되었다. 성장 위주의 지나친 개발은 인간의 존엄성과 자연의 가치를 잠시 잊게 만들었다. 기후변화만 봐도 그렇다. 산업화 속에서 인간의 활동은 온실가스 배출량을 급격하게 상승시켰고, 이로 인해 세계 곳곳에서 극단적인 기상 이변이 나타나고 있다. 가뭄과 홍수의 규모와 발생 빈도도 증가해 인간으로서의 삶을 유지하는 데 필요한 기본적인 식생활 및 주거생활이 어려운 난민들이 속출하고 있다. 기온의 변화는 생태계와 생물다양성에도 부정적인 영향을 미쳤다. 생물종의 분포가 달라지고, 외래종의 침투가 가속화되고 있으며, 기후변화에 취약한 생물종들은 멸종위기에 처하고 있다. 도시화는 생물서식 공간을 훼손하여 야생동물의 출현과 전염병 확산이 촉진되고 있다.

이뿐만이 아니다. 무분별한 플라스틱의 활용은 해양생태계를 오염시키고 있다. 얼마 전 인도네시아에서는 향유고래 사체 속에서 6Kg에 달하는 엄청난 양의 플라스틱 쓰레기가 나왔다는 보도가 있었다. 코로나19로 쓰고 버린 수십 억장의 일회용 마스크와 일회용 용기는 바다로 흘러들어가 해양생물들을 위협한다. 햇빛과 파도에 의해 잘게 부서진 미세 플라스틱을 먹은 물고기들은 다시 우리의 식탁 위로 올라와 건강을 해치고 있다. 인간에게 없어서는 안 될 소금을 통해서만도 연간 수천 개 이상의 미세플라스틱을 먹고 있다니 정말 염려되지 않을 수 없다.

그동안 우리는 과학기술이 가져다 준 혜택과 풍요로움 속에 묻혀 과학기술의 잠재적 위험에 대해 그다지 심각하게 생각하지 않았다. 사람들은 "과학기술이 설령 문제를 일으킨다고 해도, 더 좋은 과학기술이 개발되어 곧 그 문제를 해결해주겠지"라는 막연한 기대를 하거나, 혹은 "아무리 문제가 발생한다고 해도 과학기술이 가져다주는 혜택이 훨씬 큰데, 그 문제에 대해 지나치게 걱정하는 것이 오히려 과학기술 발전에 방해가 되는 것은 아닐까?"라는 생각도 한다. 정말 그럴 수도 있다. 하지만, 과학기술은 만능이 아니다.

과학기술이 초래하는 사회쟁점에 관심을 갖고 해결하기 위해 노력한다고 해서, 과학기술의 가치와 그동안 인류에게 가져다 준 혜택을 폄하하는 것은 아니다. 아직 생기지도 않은 위험에 대해 막연한 두려움이나 불안감을 느낄 필요도 없다. 과학기술의 본성을 제대로 알고, 함께 지속가능한 사회를 만들기 위해 노력해갈 때, 우리는 더 나은 사회를 만들 수 있다. 과학기술로 인한 문제를 해결하는 것은 과학자, 기술자, 공학자들만의 몫이 아니다. 지금은 우리가 사회의 일원으로서 전문가들과 함께 과학기술에 관심을 갖고 책임감 있게 문제를 풀어가야 할 때이다.

과학기술이 만들어 낸 다양한 쟁점들 (Socioscientific Issues)

과학기술의 발달이 야기하는 사회·윤리·도덕적 쟁점들을 '과학기술관련 사회쟁점', 영어로는 Socioscientific Issues라고 부른다(줄여서 SSI라고 함). 과학기술로 인해 발생하는 위험들이 대부분 이러한 쟁점들에 해당된다. 과학기술관련 사회쟁점들은 다음과 같은 특성을 지닌다.

- SSI는 과학기술의 긍정적 측면과 부정적 측면을 모두 보여준다. 이를 '과학기술의 양면성'이라고 부른다. 플라스틱의 사용으로 저렴하게 가벼운 용기를 구매하여 사용할 수 있지만, 지나치게 많이 사용하거나 분리수거가 제대로 되지 않으면 바다로 떠내려가 거대한 해양 쓰레기 섬을 형성하게 된다.
- SSI는 일반적으로 논쟁적이다. 주어진 쟁점에 대해 알면 알수록 쉽게 결정하기 어렵다는 것을 느끼고, 도덕적·윤리적 갈등을 경험하기도 한다. 따라서 무엇이 옳고 그른지 판단하기 보다는 최선의 결정을 위해 숙의 과정을 거치는 것이 바람직하다. 난치병 환자를 위한 배아연구를 찬성해야 하는가, 반대해야 하는가? 배아를 생명으로 인정하는 것이 합당한가? 각자가 처한 상황에 따라 다른 결정을 할 수 있음을 이해해야 한다.
- SSI는 과학기술과 관련하여 여러 이해관계자(stakeholder)가 서로 복잡하게 얽혀져 있음을 보여준다. 플라스틱 사용만 하더라도 음식을 파는 식당 주인, 소비자, 폐기물 처리자, 플라스틱 제조사, 정부, 환경단

체 등의 입장이 모두 다를 수 있다. 따라서 문제를 해결하는 과정에서 서로 다른 입장을 이해하고 수용하며, 조율해 나가는 태도가 필요하다.

- SSI는 개인 차원에서 의사결정을 하는 것을 넘어, 사회 차원, 전 세계 차원으로 확장시켜 생각해보아야 한다. 우리가 직면하고 있는 쟁점들은 개인 차원의 변화로서만 해결되지 않는 경우가 많기 때문이다. 대표적인 예가 기후변화이다. 내 삶 속에서 일회용품의 사용을 줄이는 것도 기후변화의 속도를 줄이는 데 도움을 주겠지만, 여기서 멈추지 않고 우리 사회가 함께 할 수 있는 일, 전 세계가 함께 할 수 있는 일을 찾아가는 것이 필요하다.

과학기술관련 사회쟁점(Socioscientific Issues, SSI)의 예시

생명공학기술과 생명 존엄성	산업 및 건설 분야 안전
• 줄기세포 연구의 의학적 가치와 생명 존엄성에 대한 논쟁 • 유전자조작식품의 안전성 • 맞춤아기(designer babies)와 인간 존엄성 • 태아유전자 감별에 대한 찬반 논쟁 • 생명공학기술(예: 신약개발, 장기 생산 등)의 상용화를 위한 동물실험의 필요성 • 안락사(존엄사) 논쟁	• 송전탑 건설의 위해성 • 건물 및 다리 붕괴 • 지나친 개발로 인한 싱크홀 • 인간의 지나친 개발(예: 새만금, 4대강)로 인한 환경파괴 • 전동 킥보드 공유 서비스로 인한 교통약자 안전문제 • 전자파의 인체 유해성(무선통신, IoT 확산에 따른 전자파 종류와 양 증가)

신재생 에너지	환경오염과 기후변화
• 신고리원전에 대한 공론화 • 탈원전정책과 전력생산의 지속가능성 • 핵폐기물 처리 및 매립지 선정 논란 • 원자력 발전, 친환경적인가? • 풍력발전, 친환경적인가? • 태양광 발전의 효율성 논쟁 • 신기술 개발과 그 부산물(전기제품 폐기물, 태양광 판넬 등) 문제 • 폐기물 재활용과 폐기물고형연료(SRF) 개발 • 지열발전과 지진의 상관성 • 물부족 등 자원 고갈에 대한 대책	• 산업폐기물로 인한 지하수 및 토양 오염 • 미세먼지 발생원인과 대응정책 • 일회용품 사용 증가로 인한 환경문제 • (미세)플라스틱 쓰레기로 인한 해양오염 • 환경문제 해결을 위한 폐플라스틱 재활용 및 자원화 • 빈번한 이상기후의 원인 • 아마존 및 원시림의 지나친 개발과 사막화 • 기름유출로 인한 환경오염 • 탄소 배출량 저감 정책에 대한 찬반 논쟁 • 탄소배출권에 대한 국가간 입장차이 • 글로벌 기후변화 대응을 위한 온실가스 감축 문제

인공지능 등 첨단기술	정보소유권 및 악용
• 인공지능 보편화에 따른 법 이슈 • 인공지능을 이용한 입사서류의 필터링의 신뢰성 • 인공지능이 내릴 수 있는 자율적 결정의 범위 • 딥페이크기술의 활용 • 킬러로봇개발에 대한 윤리적 문제 • 인공지능으로 인한 문제 발생 시 책임소재 • 악용될 소지가 있는 안면인식 기술 • 전쟁, 테러, 해킹 등을 위한 기술 악용 • 자율주행자동차의 실용화 문제 • 노이즈 캔슬링, 안전한가? • 가상 현실에서의 시간 압축 현상	• 빅데이터 기반 신산업을 위한 개인정보 활용 vs. 개인정보 보호 • 대규모 소셜미디어를 통한 데이터 수집 범위(예: 소셜미디어를 통한 개인 성향 파악 등) • 정보와 기술의 독점(빅브라더)으로 인한 사회 문제 • 메타버스 환경의 장점과 위험성 • 소셜 네트워크로 인한 새로운 자아관 및 인간관계 형성 • 가짜 뉴스, 유해 인터넷 자료 생성과 확산

위험한 화학물질 노출

- 위험한 화학물질의 사용(예: 가습기 살균제, 살충제 계란 등)
- 독성화학물질의 생물체 농축
- 포름알데하이드, 불소 등 위험물질 유출사고
- 라돈침대 등 방사선에의 노출
- 식품에 사용되는 인공 화학첨가물의 오남용
- 항생제(약물)의 오용과 안전성
- 운동선수의 기록갱신을 위한 불법약물 투약

생활과 건강

- 백신 접종의 필요성과 안전성
- 다이어트에 의한 식생활 불균형 및 다이어트 보조제의 오남용
- 정신집중력을 높이기 위한 리탈린복용
- 패스트푸드로 인한 건강 위협
- 공장형 가축사육으로 인한 문제
- 호르몬 치료(예: 갱년기 여성 호르몬, 성장호르몬 등)의 남용
- 지하수를 비롯한 식수오염(예: 중금속 등)으로 인한 질병
- 처방약 및 의료폐기물의 안전한 처리
- 생리대에 포함된 접착제와 여성 안전

생물다양성의 감소

- 생물다양성 보존을 위한 유전자변형(보존)에 대한 논쟁
- 외래식물 유입으로 인한 토종식물의 멸종
- 멸종위기 동물의 증가로 인한 생태계 변화
- 지나친 개발로 인한 동식물 생존권 위협(예: 로드킬)
- 살충제 과다사용으로 인한 곤충 개체수 감소

신물질의 개발

- 나노물질의 위험성
- 생분해성 플라스틱의 올바른 사용과 폐기
- 친환경 물질, 정말 친환경적인가?

SECTION 03

쟁점 속에 숨겨진 과학기술의 본성

현대 사회에서 과학과 기술, 공학을 완전히 분리하기 어렵다. 물론 과학은 과학만의 본성, 기술이나 공학은 그것만의 구별되는 특성을 지니고 있다. 하지만, 과학기술이 발달할수록 과학과 기술, 공학을 구분하는 것은 큰 의미가 없어지고 있다. 그래서 과학과 기술(공학 포함)을 분리하지 않고 그 본성에 대해 이야기해보고자 한다.

최근 과학기술학을 연구하는 학자들은 '과학기술'을 수많은 이해관계자가 복잡하게 연결되어 있는 그물에 비유한다. 즉, 과학기술이 독립적으로 존재하는 객체가 아니라는 뜻이다. 어떤 학자는 네트워크나 연결망, 시스템 등으로 표현하기도 한다. 여기서 이해관계자는 해당 과학기술과 직접적으로 연관된 인간이나 기업, 기관뿐만 아니라 환경과 동식물, 그리고 또 다른 과학기술이나 물체들도 포함하는 넓은 개념이다. 넓게 펼쳐진 그물의 한 매듭 위에 과학기술 하나가 놓여 있다고 상상해 보자. 그리고 그 매듭주변의 다른 매듭 위에 그 과학기술과 관계있는 다양한 이해관계자가 놓여 있는 모습이다. 어떤 이해관계자는 해당 과학기술과 가까운 거리에 있고, 또 어떤 이해관계자는 멀리 떨어져 있다. 만약 누군가가 매듭 하나를 잡아 당겼다 놓았다면 어떤 일이 벌어질까? 호수에 던진 돌이 물결파를 생성하는 것처럼, 그물도 서로 가깝게 연결되어 있는 매듭은 더 많이, 멀리 떨어진 것은 좀 덜 진동할 것이다.

예를 들어보자. 전 세계를 공포에 몰아넣은 코로나19 바이러스를 종식시키기 위해 개발된 백신을 놓고 그 안전성과 효과에 대한 논쟁이 계속되고 있다. 코로나19 백신 기술은 정부, 기업, 과학자, 개발자, 의료인, 일반인 등 수많은 이해관계자와 연결되어 있음을 쉽게 알 수 있다. 백신을 개발한 외국 기업이 어떠한 움직임을 취하면 그 영향이 우리나라 정부에게, 그리고 일반인에게도 영향을 미친다. 또 우리나라 정부의 움직임에 따라 관련 기업이나 의료분야, 일반인 등이 또 서로 영향을 주고받는다. 이것이 현대 사회에 존재하는 과학기술의 특성이다.

과학기술이 수많은 이해관계자와 복잡하게 얽혀져 있기 때문에 나타나는 현상들이 있다. 그 중 하나는 불확실성(uncertainty)이다. 다시 말해서, 과학기술이 우리 사회에 미치는 영향을 정확하게 예측하기 어렵다는 의미이다. 특히 나노 과학이나 생명 공학과 같은 신기술 영역에서는 과학자나 공학자조차도 위험을 예측하거나 모니터링 할 수 없는 규제 공백(a regulatory vacuum)이 생길 수밖에 없다. 울리히 벡도 과학기술의 불확실성으로 인해 과학기술이 야기할 수 있는 위험을 직관적으로 인식하기 어렵고 그 위험성에 대해 더 불안함을 느끼게 된다고 설명하였다. 앞서 든 예처럼 백신의 안전성에 대해서 많은 사람들이 염려하는 것도 과학기술이 갖는 불확실성 때문이다.

또 하나의 현상은 통제불가능성(uncontrollability)이다. 예를 들어, 새롭게 기술이 개발되면 초기에는 공학자를 포함한 이해관계자가 기술 발전과 제품 생산과 확산의 방향 등을 논의하고 방향을 수정해나가는 유연성을 갖는다. 그러나 일단 성공적으로 사회에 안착되게 되면 기술과 직접적으로 연결되는 이해관계자뿐만 아니라 간접적 영향을 주고받는 산업체나 교육, 입법 단체 등까지도 서로 연결되면서 해당 기술의 방향과 변화 속도가 일정하게 유지되는 특성을 갖게 된다. 이것을 기술 모멘텀이라고 부른다. 기술 모멘텀이 생기게 되면 해당 기술 시스템은 일부 개인이나 집단에 의해 방향이 변화되거나 통제되는 것이 거의 불가능해진다. 예를 들어, 나노기술이 혹시 모를 위험성을 갖고 있다고 하더라도 나노기술과 연계된 과학자 집단, 기업뿐만 아니라 일반 시민들도 이미 삶 속에서 나노기술의 혜택을 받으며 살아가기 때문에 일부 단체가 나노기술의 발전 속도나 방향을 변화시키는 것은 어렵다.

과학기술의 불확실성과 통제불가능성으로 인해 과학기술이 우리 사회에 어떤 영향을 미치며, 앞으로 어떻게 발전해나갈 것인지에 대해 예측하는 것은 쉽지 않다. 그렇지만, 과학기술이 갖는 본성에 대해 이해한다면, 과학기술을 지속가능한 방향으로 발전시키기 위해 과학기술자와 시민들이 함께 논의하고 과학기술로 인한 문제들을 합리적으로 해결해 나갈 수 있는 단초가 될 것이다.

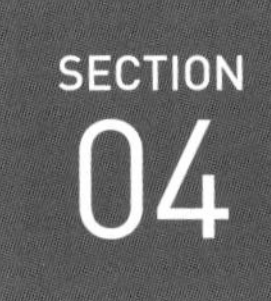

과학기술관련 사회쟁점 교육이 왜 필요할까?

학교 과학 수업에서 가르치는 내용들은 대부분 정답이 있는 문제들이다. 예를 들어, 200g의 공을 45도 각도로 10m/s로 쏘아 올리면 어느 곳에 공이 떨어질지 정확하게 예측할 수 있다. 그러나 생활 속에서 학생들이 접하는 과학기술은 학교 과학과는 많이 다르다. 물리학, 화학, 생물, 지구과학과 같이 순수한 학문 영역으로 존재하기보다는 기술이나 공학과 융합된 형태로 존재한다. 불확실한 것도 너무 많다. 코로나 백신의 위험성에 대해서 판단하고 싶지만, 학교 생물 수업에서 배운 내용만으로는 턱없이 부족하다. 어떤 연구자는 A백신이 더 효과가 있다고 이야기하고, 다른 연구자는 B, C 백신이 더 좋다고 이야기한다. 코로나 백신의 작동 원리는 어느 정도 밝혀졌지만, 여전히 예상치 못한 부작용을 낳고 있으며 부작용이 생기는 이유에 대해서는 충분한 설명을 제공하지 못하고 있다. 학교 과학만으로는 우리의 궁금증에 대한 모든 답을 주지 못한다.

이처럼 학생들이 학교에서 배우는 과학과 일상생활 속에서 접하는 과학은 다르다. 과학을 일종의 문화로 설명하는 학자들은 학교 과학의 문화와 생활 속에서 접하는 과학 문화가 서로 다르다고 설명한다. 교사나 학생, 일반 시민들이 서로 다른 두 문화를 건너다니는 것은 생각보다 쉽지 않다. 늘 정답을 주는 과학만 배우다 불확실성을 내재한 정답 없는 문제에 당면하면 당황스러움을 느낀다. 서로 다른 문화를 자연스럽게 넘나들기 위해서는 연습이 필요하다. 다시 말해서, 학교 과학에서도 일상생활 속 과학기술의 모습을 자연스럽게 소개해서 과학기술이 갖는 불확실성에 대해 인지하도록 교육해야 한다. 예를 들어, 과학수업시간에 SSI를 소재로 토의도 하고, 과학기술이 인간과 환경에 미치는 영향에 대해 조사해볼 수도 있다.

이것이 바로 SSI 교육이다. 1990년대 초반 국내에 소개된 STS(Science-Technology-Society) 교육과도 일맥상통한다. 다만, SSI 교육은 과학기술이 야기하는 쟁점들을 중심으로 교육한다는 데 차이가 있다. 학생들이 SSI에 대해 책임감 있는 의사결정을 할 수 있도록 도덕적·심리적·인성적 측면의 발달도 함께 고려할 뿐만 아니라, SSI 해결을 위한 참여와 실천을 강조한다는 점도 특징이다. 그러나 STS(E) 교육과 SSI 교육 모두 현대사회에서 주된 역할을 하는 과학기술에 대해 관심을 갖고 그 본성에 대해 이해하는 것을 기초로 하고 있다.

SSI 교육은 현대 과학기술 사회를 안전하게 살아가고, 사회를 구성하는 다양한 사람들과 함께 우리를 둘러싼 환경과 공존하며 살아가는 과정을 배우는 교육이라 할 수 있다. 하루가 멀다 하고 발생하고 있는 SSI를 해결해 나갈 수 있는 역량을 기르기 위해서는 과학기술의 본성에 대한 이해가 어느 때보다도 필요하며, 직접 다른 사람들과 협업하며 문제를 해결해나가는 경험이 필요하다. 과학을 더 이상 과학자와 같은 전문가만의 영역으로 두는 것이 아니라, 당당하게 지식의 생산 과정을 들여다보고, 그 과정에서 야기될 수 있는 문제들에 대해 숙의해 나가는 장이 마련되어야 한다. 이러한 과정을 강조하는 것이 바로 SSI 교육이다. 이제 SSI 교육에 관심을 기울여야 할 때이다.

CHAPTER

02

ENACT 프로젝트 알아보기

ENACT PROJECT

SECTION 01 ENACT 프로젝트의 배경

SECTION 02 ENACT 프로젝트란?

SECTION 03 ENACT 모형에 포함된 두 개의 Cycle

SECTION 04 ENACT 모형의 단계

SECTION 01

ENACT 프로젝트의 배경

ENACT 프로젝트를 설명하기에 앞서, 미디어를 통해 보도된 적이 있는 두 가지 사례를 소개하고자 한다. 첫 번째 사례는 '오션클린업' 프로젝트, 두 번째 사례는 '와일드 북'이다. 두 사례는 ENACT 프로젝트와 동일한 과정으로 수행된 것은 아니지만, ENACT 프로젝트를 통해 우리가 궁극적으로 나아가고자 하는 방향을 잘 보여준다.

A. 오션클린업(Ocean Cleanup)

2012년 10월 TED talk에서 19세 청년의 야심찬 오션클린업 프로젝트가 소개되었다. 이 강의에서 보얀 슬랏이라는 이름의 네덜란드 청년은 해양 쓰레기 섬의 심각성을 사람들에게 알리고, 이를 정화할 수 있는 시스템을 제안하였다. 현재 오션클린업은 네덜란드에 기반을 둔 비영리 엔지니어링 환경 단체로, 바다 위에 떠다니는 플라스틱을 수거하여 해양을 정화시킬 뿐만 아니라 버려진 플라스틱이 바다에 도달하지 않도록 강에서 미리 차단하는 기술을 개발하여 실행에 옮기고 있다. 거대한 U자 모양의 장치는 기본적으로 중앙의 플랫폼을 중심으로 양쪽으로 긴 장벽을 부착시킨 모형이다. 장벽은 떠다니는 플라스틱을 중앙 플랫폼으로 모으는 역할을 하고, 이를 수거하여 재활용하겠다는 생각이었다. 하지만 이 아이디어는 기술적인 한계로 인해 난관에 부딪혔다. 또한 오히려 바다 생태계를 해칠 수 있다는 비판도 받았다. 이미 바다로 흘러가버린 플라스틱을 어떻게 처리할까 고민하기보다는 플라스틱 사용을 줄이도록 하는 게 더 낫다는 의견도 있었다.

U자 모양의 플라스틱 수거 장치

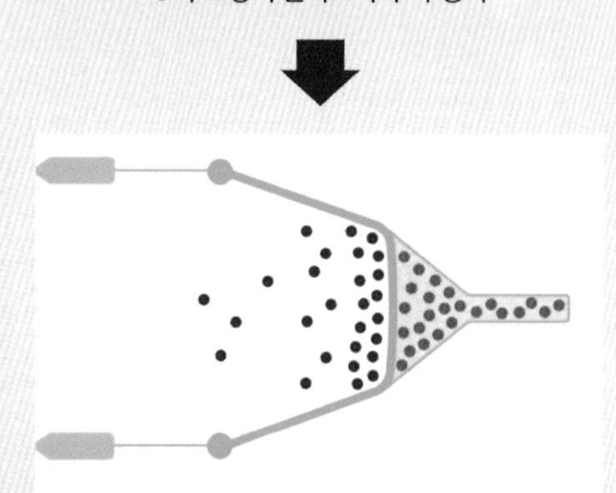

[그림 1] 오션클린업 프로젝트(사진 출처: https://theoceancleanup.com/oceans/)

그렇지만 10년이 지난 지금, 오션클린업은 여러 기관의 투자를 받으며 본격적으로 활동하고 있다. 하와이섬 주변에 형성된 거대 쓰레기섬은 남한 면적의 15배 이상으로 크며, 그 섬을 구성하는 플라스틱의 양이 셀 수 없을 정도로 많기 때문에 '과연 이 쓰레기를 처리하는 것이 가능할까'라는 생각도 하게 만든다. 그러나 오션클린업은 시간이 걸리더라도 태평양 쓰레기를 치워나가겠다고 한다. 2040년까지 북태평양 환류의 쓰레기의 약 90%를 수거하는 것을 목표로 설정했다. 물론 여전히 전문가들은 플라스틱 쓰레기가 해저로 가라앉기 때문에 효과가 크지 않을 수 있고, 치우는 양보다 더 많은 쓰레기가 유입되고 있으며, 거대 장치가 오히려 해양생물을 위험에 처하게 한다는 비판도 하고 있다.

우리는 뉴스 보도를 통해 거대 쓰레기 섬에 대한 이야기를 많이 들어왔다. 그러나 어느 국가나 정부, 기업, 또는 환경 단체도 쓰레기 섬을 없애기 위한 방안을 적극적으로 내놓지 못했다. 그러나 19세 청년은 이러한 고민과 논의를 실행으로 옮겨냈다. 그 효용성에 대해 차후 평가가 달라질지라도, 이 청년의 시도는 대단하고 충분히 의미가 있다. 최근에는 플라스틱이 대부분 강에서 떠내려 온다는 사실을 확인하고 강의 플라스틱이 바다로 흘러 들어가는 것을 막기 위해 인터셉터를 설치했다. 아이디어는 간단하다. 떠내려 오는 플라스틱이 강을 가로지른 인터셉터로 향하고, 모인 플라스틱들은 컨베이어 벨트를 따라 인터셉트 내부에 수집되게 된다.

[그림 2] 인터셉터(사진 출처: https://www.youtube.com/watch?v=P6bHhCNj6Fg)

더 재미있는 아이디어도 있다. 오션클린업은 수거한 플라스틱을 모아 재활용품 선글라스를 만들었다. 뜻을 같이하는 디자이너가 선글라스의 디자인을 담당하고, 한 이탈리아 회사는 프레임을 제작하였다. 모든 수익금은 더 많은 해양 쓰레기를 수거하는 데 사용된다. 19세 청년의 아이디어에서 시작된 활동에 여러 사람들의 힘이 더해져 발전해나가고 환경을 변화시키고 있다.

B. 와일드북

멸종위기에 처한 동물들을 보호하기 위해 생물학자, 데이터과학자, 시민, 시민과학자, 환경 단체들이 와일드북이라는 비영리 단체를 만들었다. 멸종위기에 처한 동물들의 분포와 이동, 개체수 등의 데이터가 부족할 뿐만 아니라 실제 수집하는 데에도 많은 시간이 걸려서 쉽지 않다. 더욱이, 멸종위기동물이 증가하고 있다는 것에 대해서는 많은 사람들이 안타까워하지만, 실제로 이들을 위한 노력은 그 안타까움에 비해 진척이 별로 없었다.

이들은 AI 기술을 활용하여 멸종위기 동물의 데이터를 수집하고 관리하는 시스템을 만들었다. 소셜 미디어를 통해 멸종위기 동물 보호에 관심이 있는 시민과학자들을 모으고, 이들이 동물 생체 인식 솔루션을 이용해서 데이터를 수집하는 역할을 하는 것이다. 쉽게 말해 인공지능 기술과 센서를 활용하면, 치타, 재규어, 표범 무늬의 패턴을 분석해서 종을 구분할 수 있다. 얼룩말과 같이 명확한 특징이 있는 동물들은 센서를 통해 이들의 이동이나 개체수 등을 파악할 수 있다는 것이다. 와일드북 사이트를 방문하면 여러 멸종위기 동물들의 정보를 수집하는 데 참여할 수 있다. 새롭게 개발된 과학기술이 또 다른 해결책을 제시해주는 사례라 할 수 있다.

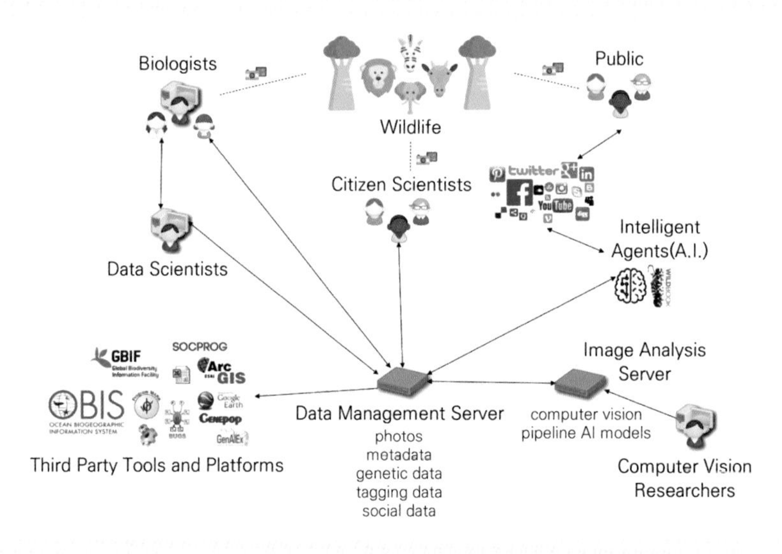

[그림 3a] 와일드북의 AI기술을 이용한 멸종위기동물 관리시스템

[그림 3b] 와일드북의 AI를 통한 동물개체 인식(사진 출처: https://www.wildme.org/)

오션클린업과 와일드북은 여러 공통점이 있다. 과학기술의 발달, 인간의 활동으로 인해 발생한 문제를 해결하기 위해 여러 사람들이 모여 실행에 옮긴다는 점이다. 플라스틱의 지나친 사용으로 인해 거대 쓰레기섬이 형성되었다는 것은 많은 사람들이 알고 있다. 그러나 일부 사람들만 이 문제를 어떻게 해결할 수 있을까를 고민한다. 마찬가지로, 멸종위기 동물이 증가하고 있는 것에 대해 사람들은 정말 안타깝게 생각한다. 하지만, 이 문제를 해결하기 위한 방법을 고민하고 적극적으로 행동에 옮기는 사람들은 많지 않다.

ENACT 프로젝트는 과학기술이 낳은 쟁점들에 대해 안타까워하고 서로 이야기를 나누는 것을 넘어서야 함을 강조한다. 작은 행동이라도 문제해결을 위해 실천에 옮기려는 의지와 행동이 필요하다. 그 행동은 우리 사회를 보다 지속가능한 사회로 발전시키는 데 씨앗이 될 것임을 믿기 때문이다.

SECTION 02

ENACT 프로젝트란?

ENACT 프로젝트는 첨단 과학기술과 관련한 사회쟁점(SSI)에 관심을 갖고 쟁점해결에 참여해보는 경험을 제공하여 함께 지속가능한 사회를 만들어나가는 역량과 사회적 책임감을 함양하는 교육프로그램이다. ENACT 프로젝트에는 누구나 참여할 수 있다. 이공계 전문가가 될 대학생들은 ENACT 프로젝트를 통해 현대 사회에서 드러나는 과학기술의 본성을 이해하게 될 뿐만 아니라, 자신의 전문지식과 기술을 활용하고 다양한 이해관계자와 소통하면서 문제를 해결해보는 기회와 경험을 갖게 된다. 그리고 본인이 제시한 해결방안을 지역사회와 공유하고 실천해보는 경험을 통해 미래 과학기술자로서의 사회적 역할에 대한 인식을 높일 수 있다. 과학기술로 인한 문제해결에 관심 있는 시민이나 중·고등학생들은 ENACT 프로젝트를 통해 삶 속에서 직면하는 다양한 쟁점들을 탐색해보면서 쟁점에 대한 이해를 높일 뿐만 아니라 시민으로서 쟁점을 해결하기 위한 방안들을 함께 제안하고 실천해보는 경험을 하게 된다.

ENACT 프로젝트를 수행하는 데 필요한 기본 교수·학습 모형을 ENACT 모형이라고 부른다. ENACT 모형의 단계는 1) 쟁점발견(Engage in SSIs), 2) 쟁점탐색(Navigate SSIs), 3) 미래상황 예측(Anticipate consequences), 4) 과학·기술·공학적 쟁점해결(Conduct scientific and engineering practices), 5) 사회적 실천(Take action)의 순으로 진행된다. “ENACT”라는 단어는 ENACT 프로젝트 모형의 다섯 단계를 지칭하는 영어 단어의 첫 글자를 따서 만든 것이다. 또한 단어 뜻 그대로 지속가능한 사회를 위한 ‘책임감 있는 실천'을 강조한다는 뜻을 담고 있다.

ENACT 모형은 과학기술 관련 사회쟁점(SSI) 교육을 과학·기술·공학교육과 연계함으로써 기존의 사회문제해결형 교육에 비해 과학기술의 본성에 대한 인식론적 이해를 더욱 강조한다. 학생들이 주어진 사회문제를 해결하는 것만이 주된 목적이 아니라 과학기술의 본성을 지속적으로 고려하고 실행의 과정을 반성적으로 성찰해봄으로써 보다 책임감 있고 지속가능한 발전을 추구하도록 한다. ENACT 모형은 다음과 같은 특징이 있다.

- ENACT 모형은 관심 있는 과학기술관련 사회쟁점(SSI)으로부터 시작한다. 전공하는 (또는 전공하고자 하는) 분야에서, 혹은 삶 속에서 당면한 쟁점들을 찾아보는 것이 ENACT 프로젝트의 시작이다. 쟁점들을 다각도에서 탐색하면서 자연스럽게 과학기술의 본성을 이해하게 된다.
- ENACT 모형은 두 개의 Cycle로 구성되어 있다. Cycle I은 과학기술의 본성을 이해하도록 돕는 과정이며, Cycle II는 책임감 있는 쟁점 해결을 안내한다. Cycle I과 Cycle II는 양방향으로 연결되어 있어, 과학기술의 본성에 대한 이해와 실행이 함께 진행되어야 함을 강조한다.
- ENACT 모형은 '책임감 있는 연구와 혁신(Responsible Research & Innovation, RRI)'의 주요 개념들을 명시적으로 강조하고 있다. 즉, 쟁점 해결과정에서 사회의 변화와 요구에 민감하게 반응하고(Responsive), 다양한 이해관계자의 의견에 관심을 갖고 소통해야 하며(Inclusive), 연구 실행의 과정을 반성적·비판적으로 성찰함으로써(Reflexive), 지속가능한 사회를 지향하는(Sustainable) 방향으로 나아가는 것을 강조한다.
- ENACT 모형은 사회적 실천을 강조한다. 쟁점을 인식하고 해결해보는 경험에서 나아가, 본인의 해결방안을 지역사회에서 실천에 옮겨보는 것을 중요하게 여긴다. 지역사회의 여러 이해관계자들과 만나고 그들의 의견도 수렴하면서 새로운 ENACT 프로젝트를 기획해볼 수 있다.

- ENACT 모형의 각 단계에는 ENACT 프로젝트를 효과적으로 수행하도록 돕는 교수전략이 제시되어 있다. 예를 들어, 이해관계자 지도를 통해 다양한 이해관계자가 복잡하게 연결되어 있음을 이해하도록 돕고, 미래학(future studies)과 연계하여 퓨처스휠을 그려보도록 함으로써 현재 우리가 당면한 상황을 이해하는 것을 넘어 지속가능한 미래의 방향을 지향해 나갈 수 있도록 안내한다.

ENACT 모형에 포함된 두 개의 Cycle

ENACT 프로젝트 모형에 포함된 두 개의 Cycle을 좀 더 자세히 살펴보자. Cycle I은 과학기술의 본성을 이해하도록 하는 과정이며, Cycle II는 쟁점해결의 실행을 강조한다. 즉, 과학기술로 인한 쟁점들을 해결하기 위해서는 과학기술의 본성에 대한 이해가 필요하며, 이러한 이해를 바탕으로 쟁점해결과정을 수행할 때 사회적 실천으로까지 이어질 수 있다는 것을 가정하고 있다. 두 개의 Cycle은 '이해'와 '실행'이 밀접하게 연계되고 서로를 오고가며 반복적으로 진행된다는 것을 강조하기 위해 양방향으로 연결된 형태로 표현하였다. ENACT 모형을 표현하면 아래 [그림 4]와 같다.

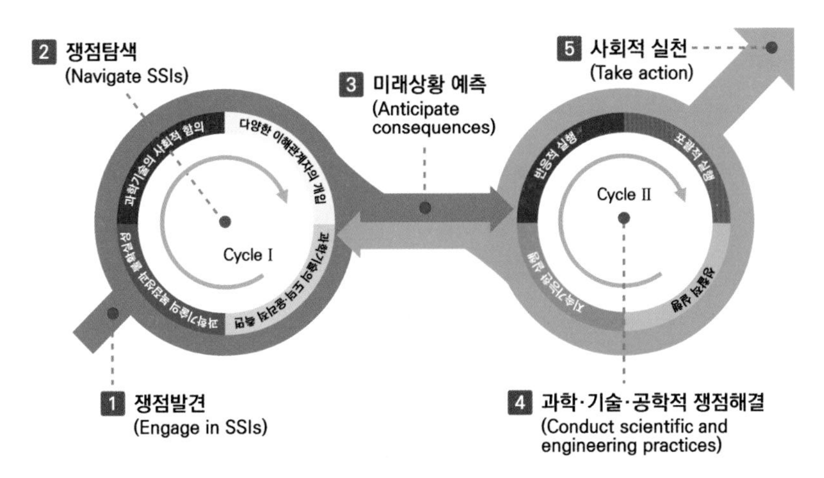

[그림 4] ENACT 프로젝트 모형(이현주 외, 2020)

1. ENACT 모형의 첫 번째 Cycle

과학기술의 본성에 대한 이해를 강조하는 Cycle I의 안쪽을 살펴보면, 과학기술의 사회적 함의(Social implications), 다양한 이해관계자의 개입(Multiple-stakeholders), 과학기술의 도덕·윤리적 측면(Moral & ethical aspects), 과학기술의 복잡성과 불확실성(Complexity & uncertainty)의 네 가지 요소가 포함되어 있다. 이는 네 가지 요소를 중심으로 과학기술의 본성을 탐색하는 것이 중요하다는 의미이다. 각각의 의미를 좀 더 자세히 살펴보자.

첫째, '과학기술의 사회적 함의'에 대한 이해는 과학기술이 사회에 어떠한 기여를 했으며, 어떠한 사회적 쟁점들을 야기하고 있는지, 즉 긍정적, 부정적 영향을 다각적으로 탐색해 보는 것을 의미한다. 요즘 편리한 교통수단으로 각광받고 있는 전동킥보드를 예로 들어보자. 전동킥보드는 걷기에는 애매한 거리를 쉽게 이동할 수 있는 해결안으로 도입되었다. 전동킥보드는 출퇴근 시 지하철까지의 이동시간을 줄여주기도 하고, 코로나 19 상황에서 사람들과의 거리를 유지하면서 이동할 수 있는 교통수단이 되었다. 환경오염 물질을 배출하지 않아 기후변화에도 도움을 줄 수 있다. 그러나, 전동킥보드를 인도에서 무분별하게 이용하거나 아무 곳에나 주차해 놓는 것은 사람들의 안전을 위협할 수도 있다. 특히 노인이나 장애인과 같은 교통 약자에게는 높은 속도로 달리는 전동킥보드가 두려움을 줄 수 있다.

둘째, '다양한 이해관계자의 개입'에 대한 이해는 ENACT 모형에서 매우 강조하고 있는 부분으로, 과학기술과 관련되어 어떠한 이해관계자가 존재하며 그들이 서로 어떠한 관계를 형성하고 있는지를 이해하는 것이다. 대부분의 경우, 이해관계자는 서로 지향하는 관점과 가치가 다르며 복잡하게 얽혀있다. 다시 전동킥보드의 경우를 예로 들어보자. 전동킥보드와 관련해서 생각해볼 수 있는 이해관계자는 출퇴근 이용자, 전동킥보드 운영회사, 일반 보행인, 교통경찰 등으로 다양하다. 물론, 기업이나 사람 이외에 전동킥보드로 대체된 교통수단, 예를 들어 자전거, 버스, 택시 등도 넓은 범위의 이해관계자에 포함될 수 있다. 또한 주변 환경도 이해관계자가 될 수 있다. 다양한 이해관계자를 중심으로 SSI를 탐색하는 것은 SSI의 복잡성과 불확실성을 이해하는 데 가장 중요한 근간이 된다.

셋째, '과학기술의 도덕·윤리적 측면'에 대한 이해는 해당 과학기술이 야기할 수 있는 도덕·윤리적 측면에 대해 인식하는 것을 의미한다. 보통 과학기술은 중립적인 것으로 여겨지기 쉽다. 이러한 과학기술이 왜 도덕·윤리적인 측면을 야기하는지를 과학기술의 본성과 연계하여 이해할 필요가 있다. 전동킥보드의 경우에도 교통약자들은 안전에 대한 위협을 더 크게 느끼고 있다. 전동킥보드가 소음이 적고 속도가 제법 빠르기 때문에 시각 및 청각 장애인들은 전동킥보드가 지나갈 때 예상치 못하게 넘어지거나 다치기도 한다. 전동킥보드는 주로 젊은 층이 이용하다보니 노인과 같은 소외계층은 전동킥보드로 인한 혜택은 거의 받지 못하고 오히려 그들의 보행권을 위협받고 있는 상황이다. 즉, 과학기술의 혜택은 고르게 분배되지 않을 수 있기 때문에, 이로 인해 도덕·윤리적 문제를 야기할 수 있게 된다.

마지막으로, '과학기술의 복잡성과 불확실성'에 대한 이해는 과학기술이 사회에 안착했을 때 어떠한 결과를 초래하게 될 것인지에 대해 예측하는 것이 어려움을 의미한다. 과학기술은 그물처럼 서로 연결되어 있는 일종의 네트워크이기 때문에 어떤 진동으로 인해 어떻게 확산되어 나갈지에 대한 예상이 어려울 수밖에 없다. 전동킥보드가 처음 도입되었을 때, 매우 신기하게 여기는 사람들이 많았다. 짧은 거리를 편리하게 이동하면서 환경까지 보호할 수 있는 획기적인 아이디어라고 여겨졌다. 그러나 몇 년 뒤, 관련된 사고들이 연이어 일어나고 무분별한 사용으로 불편함을 경험하면서 전동킥보드의 도입이 정말로 적절한 것인가에 대해 의문이 제기되고 있다. 앞으로 또 어떠한 문제를 야기할지 예측하기 어렵다.

위의 네 요소에 대한 요약 설명과 함께 각 요소에 대해 생각해보도록 돕는 질문들을 [표 1]에 제시하였다.

[표 1] Cycle I의 4요소(이현주 외, 2020)

요소	고려할 점	예시
과학기술의 사회적 함의 (Social implications)	• 과학기술은 사회에 어떠한 기여를 할 수 있는가? • 왜 이 과학기술을 필요로 하는가?	• 전동킥보드는 어떠한 필요에서 발명되었을까? • 전동킥보드는 인간의 삶을 어떻게 변화시켰을까?
다양한 이해관계자의 개입 (Multiple-stakeholders)	• 어떠한 이해관계자가 존재하는가? • 이해관계자 간에 어떠한 갈등이 야기될 수 있는가?	• 전동킥보드와 관련된 이해관계자는 누가 있을까? • 전동킥보드는 왜 논쟁을 야기할까?
과학기술의 도덕 · 윤리적 측면 (Moral & ethical aspects)	• 왜 이 과학기술이 도덕 · 윤리적으로 문제가 될 수 있는 잠재성을 포함하고 있는가?	• 전동킥보드는 어떠한 도덕 · 윤리적 쟁점들을 야기하고 있는가?
과학기술의 복잡성과 불확실성 (Complexity & uncertainty)	• 어떠한 다양한 관점과 가치가 얽혀져 있는가? • 그 결과가 예측 가능한가? 왜 예측이 어려운가?	• 안전을 위해 전동킥보드 사용을 제한한다면 어떠한 상황이 벌어질까? • 전동킥보드 사용을 유지한다면 어떠한 상황이 될까?

2. ENACT 모형의 두 번째 Cycle

Cycle II는 실행 차원을 나타낸다. EU와 북미지역을 중심으로 과학기술 연구와 혁신의 방향에 대한 책임감 있는 자세를 촉구하는 '책임 있는 연구와 혁신(RRI, Responsible Research & Innovation)' 패러다임이 강조되어 왔다. 국내에서도 과학기술정책이나 기술혁신 이론 분야에서 RRI에 관심을 갖고 연구하고 있다. RRI는 포용적이고 지속 가능한 사회를 만들기 위해, 과학기술 분야에서 진행되고 있는 연구와 혁신이 사회에 가져올 수 있는 잠재적인 영향을 예상하고 평가해야 함을 뜻한다. RRI의 가장 핵심적인 개념은 '사회적 책임'이라고 할 수 있으며, 이를 달성하기 위해 몇 가지 요소들이 강조되고 있다.

ENACT 모형에서는 RRI 패러다임과 교육적 목적을 고려하여 반응적(responsive), 포괄적(inclusive), 성찰적(reflexive), 지속가능한(sustainable) 실행의 네 가지 요소를 포함하였다. 즉, 과학·기술·공학적 쟁점 해결과정에 참여하면서 그 실행과정이 네 요소를 만족하는지 지속적으로 점검해나가도록 안내하고 있다. 각각의 개념에 대해서 좀 더 구체적으로 살펴보자.

첫째, '반응적 실행'은 연구자가 해결방안을 만들어가는 과정에서 사회가 당면한 과제나 요구, 가치와 규범 등에 대해 유연하게 대응하고 대처하는 것을 의미한다. 예를 들어, 전동킥보드 문제를 해결하기 위해 노약자나 시각장애인들이 전동킥보드의 이동을 인지할 수 있는 시스템을 개발하고자 한다고 가정해보자. 연구자들은 시스템을 어떻게 더 혁신적으로 개선할 것인지에 대한 기술적 측면에만 초점을 두지 말고, 전동킥보드의 도입으로 인해 사회가 요구하는 것이 무엇인지 정확히 이해할 필요가 있다. 그리고 어떠한 문제를 구체적으로 해결해야 하는지에 대한 이해가 명확해야 한다. 또한 사회적으로 지켜야 하는 암묵적 가치나 규범(예: 사람의 안전에 대한 우선적 배려, 보행자 우선의 규범 등)을 존중하면서 개선해 나가야 함을 의미한다.

둘째, '포괄적 실행'은 연구자가 해결방안을 만들어가는 과정 중에서 다양한 이해관계자와 서로 소통하고 협의해 나가는 과정을 수행하는 것을 의미한다. 과학기술자는 그동안 과학기술 연구를 수행할 때 본인이 속한 전문가 집단에서의 논의만을 중요하게 생각하고, 시민들의 참여를 소홀하게 여기는 경향이 있었다. 과학기술을 생산해 내는 것은 전문가들의 영역일지 모르지만, 그 산물을 이용하는 사람은 바로 일반 시민이다. 따라서 과학기술을 개발하는 과정에 의견을 제기할 수 있는 충분한 권리가 있다. 예를 들어, 전동킥보드 개선 연구를 진행할 때, 개선 방향과 연관이 될 수 있는 주요 이해관계자(예: 실제 사용자, 노약자, 장애인, 보행자, 다른 교통수단 이용자, 운영회사 등)의 의견을 듣기 위해 소통하고 이를 반영할 수 있도록 노력할 필요가 있다. 특히, 의견을 제시하기 어려운 소외계층의 의견에도 귀를 기울여야 한다. 이러한 과정을 통해 연구과정의 개방성과 투명성이 확보될 수 있으며, 이해관계자 간에 잠재적인 충돌을 예방할 수도 있다.

셋째, '성찰적 실행'은 연구자가 해결방안을 만들어가는 과정 중에 과학기술도 오류와 불확실성을 포함할 수 있음을 인지하고, 회의적인 태도로 연구의 수행과정을 지속적으로 되짚어보는 것을 의미한다. 내가 적용하고자 하는 방법이 충분히 타당한가, 이로 인해 발생할 수 있는 문제는 없을까, 이 방법이 내가 해결하고자 하는 문제에 가장 최선의 방법인가, 사회의 요구를 충분히 반영하고 있는가 등을 생각해보는 것이다. 전동킥보드 개선 연구를 진행할 때에도, 노약자와 시각장애인의 안전한 보행을 위해 개발하고자 하는 이 기술이 정말 효과적으로 이들의 어려움을 해결할 수 있을까, 이 기술을 적용하면 오히려 다른 사람들이 불편함을 느끼게 되는 것은 아닐까 등을 고려해 볼 수 있다.

마지막으로 '지속가능한 실행'이다. 이는 연구자가 해결방안을 마련할 때 현대 사회가 강조하는 경제성, 생산성, 효율성 등의 가치만 우선시하지 말고, 인간과 자연의 공존에 대한 가치를 함께 추구하는 연구를 수행해야 함을 뜻한다. 과연 내가 개발하고자 하는 이 기술이 인간의 삶을 편리하게 해줄 수 있을까, 환경에 안 좋은 영향을 미치지 않을까, 이윤을 추구하는 집단에 의해서 잘못 사용될 가능성은 없을까 등을 고려해 볼 수 있다. 지속가능성은 미래를 바라보는 개념이다. 당장의 문제해결만이 아니라 바람직한 미래로 나아갈 수 있는 연구와 혁신인지를 생각해보아야 한다.

앞서 네 가지 요소는 과학기술자가 실제 연구와 혁신을 보다 책임감 있는 방향으로 수행하기 위해 강조하는 개념들이기 때문에, ENACT 프로젝트를 수행하면서 완벽하게 고려하기는 어려울 수 있다. 하지만, [표 2]에서 제시된 것과 같이 네 가지 요소를 고려해 보는 과정은 사회적 책임감을 높이는 씨앗이 될 것이다.

[표 2] Cycle II의 4요소(이현주 외, 2020)

요소	고려할 점	예시
반응적 (Responsive) 실행	• 사회가 직면한 과제나 새로운 요구, 가치와 규범, 관점 등에 대해 유연하게 대응하고 대처하는가?	• 전동킥보드 시스템 개선 방향이 교통 취약 계층의 요구를 반영하고 있는가? • 새로운 시스템 개선이 사회적 규범이나 가치와 모순되는 것은 없는가?
포괄적 (Inclusive) 실행	• 다양한 이해관계자의 의견에 관심을 갖고 그들의 의견이 반영될 수 있도록 노력하는가?	• 전동킥보드 시스템 개선을 위해 다양한 이해관계자의 의견을 수렴하였는가? • 꼭 필요한 이해관계자의 의견을 빠뜨린 것은 없는가?
성찰적 (Reflexive) 실행	• 실행 과정에서 신중한 성찰과 숙의의 과정을 비판적으로 수행하는가?	• 전동킥보드 시스템 개선에 사용되는 기술이 교통 취약계층의 안전을 보장할 수 있는 기술인가? • 적용하고자 하는 기술에 대해 상반된 의견을 제시하는 집단은 없는가?
지속가능한 (Sustainable) 실행	• 지속가능한 사회를 지향하는 방향으로 연구가 수행되고 있는가?	• 전동킥보드 시스템 개선은 서로 어울려 살아가는 지속가능한 사회에 기여할 수 있을까? • 새로운 시스템이 환경에 악영향을 미칠 가능성은 없는가?

SECTION 04

ENACT 모형의 단계

ENACT 모형은 [그림 5]와 같이 다섯 단계로 구성되어 있다. 각 단계의 특징과 강조점을 알아보자. 자세한 내용과 실례는 『chapter 3. ENACT 프로젝트 수행하기』에서 소개된다.

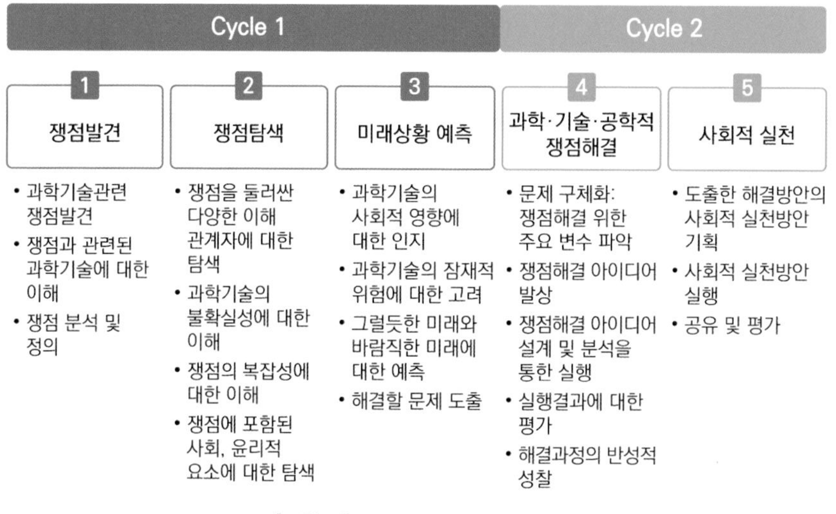

[그림 5] ENACT 5단계의 개요

1. 쟁점발견(Engage in SSIs) 단계: E

쟁점발견 단계는 학생들이 관심 있는 과학기술과 관련된 쟁점에 관심을 갖고 발견하는 단계이다. 지금 공부하고 있는 전공 영역에서, 또는 삶 속에서 관심 있는 과학기술(예: 생분해성 물질 개발, 노이즈 캔슬링 기술, 배아 복제 기술 등)을 찾고, 이 과학기술이 어떠한 쟁점을 야기하고 있는지에 대해 전반적으로 살펴보게 된다. 어떤 경우에는 관련된 과학기술보다 관심 있는 쟁점이 더 부각되는 경우가 있다. 예를 들어, 기후변화를 포함한 환경 문제는 여러 과학기술 발달의 산물로 볼 수 있다. 이 경우에는 관심 있는 쟁점을 먼저 생각해보고, 어떤 과학기술들이 연관되어 야기되는 쟁점인지 반대로 생각해볼 수도 있다.

쟁점을 발견할 때 본인이 관심 있거나 삶과 밀접하게 연관된 것을 선정하면, 쟁점을 이해하고 해결해나가고자 하는 의지가 높아질 수 있다. 평소에 관심 있었던 것들을 중심으로 쟁점을 정의해보자. 그리고 이 과학기술이 무엇이며, 왜 이 과학기술이 우리 사회에 필요한지, 어떠한 논쟁을 야기하고 있는지 찾아보면서 왜 우리가 이러한 과학기술에 관심을 갖고 해결해야 하는지도 함께 생각해보면 좋다. 아직까지 내가 해결하고자 하는 쟁점이 명확하게 정의되지 않아도 괜찮다. 앞으로의 과정을 통해 해결할 쟁점은 더욱 구체화될 것이기 때문이다.

2. 쟁점탐색(Navigate SSIs) 단계: N

쟁점탐색 단계는 관심 있는 쟁점에 대해 다양한 각도에서 탐색해보는 단계이다. 특히, 과학기술의 본성과 관련된 네 개의 요소, 즉 과학기술의 사회적 함의, 다양한 이해관계자의 개입, 과학기술의 도덕·윤리적 측면, 과학기술의 복잡성과 불확실성의 측면에서 쟁점을 본격적으로 탐색해 본다. 이해관계자 지도를 그려보면 쟁점탐색 단계를 보다 효율적으로 진행할 수 있다. 중심에 앞 단계에서 선정한 과학기술을 놓고 마인드맵을 그리듯이 관련된 이해관계자를 그려나가는 것이다. 생각보다 많은 이해관계자들이 존재하고 서로 연결되어 있는 것을 직접 보면서, 과학기술의 본성을 이해하게 된다.

3. 미래상황 예측(Anticipate consequences) 단계: A

미래상황 예측 단계는 미래에 발생할 수 있는 과학기술의 사회적 영향 및 잠재적 위험요소를 예측해봄으로써 지속가능한 발전을 추구할 수 있는 방향을 모색해 보는 단계다. 이 단계에서 해당 과학기술의 발달이 지속되었을 때의 미래를 객관적 상황에 기반을 두고 정확하게 예측하는 것은 사실상 매우 어렵다. 그보다는 해당 과학기술의 바람직한 발전 방향에 대해 함께 논의하고 그 바람직한 방향으로 실현되기 위해 해결해야 하는 문제들을 도출해봄으로써 쟁점해결의 실행 방향을 생각해 보는 것이 더 중요하다. 미래는 쉽게 예측할 수 있는 것이 아니다. 다만, 우리가 원하는 바람직한 미래는 상상해볼 수 있다.

쟁점탐색 단계가 현 상황에서 과학기술과 관련된 여러 이해관계자를 수평적으로 탐색해보는 과정이라고 한다면, 미래상황 예측 단계는 시간의 축을 두어 현재로부터 미래를 예측해보고, 그 예측을 통해 현재 우리가 할 수 있는 일들을 찾아보는 과정이다. 시간의 축은 지금 이대로 개발을 지속했을 경우 나타날 수 있는 암울한 미래와, 노력을 통해 만들어나가고자 하는 바람직한 미래의 차이를 느끼게 도와준다. 동시에, 우리의 작은 행동이 미래에는 큰 변화를 만들어줄 것이라는 희망의 메시지를 전해주기도 한다. 이러한 방법은 주로 미래학에서 많이 사용되는 기법으로, ENACT 프로젝트에서는 퓨처스휠과 시나리오 기법을 활용한다.

4. 과학 · 기술 · 공학적 쟁점해결(Conduct scientific and engineering practices) 단계: C

과학 · 기술 · 공학적 쟁점해결 단계는 쟁점을 해결하기 위한 방안을 계획하고 실행에 옮기는 단계이다. 쟁점해결은 과학적 탐구뿐만 아니라 기술 · 공학적 설계, 사회과학적 접근을 통해서도 가능하다. 중요한 점은 쟁점해결을 위한 실행 과정이 반응적, 포괄적, 성찰적, 지속가능한 과정이 되도록 노력하는 것이다. 유사한 외국 프로그램 사례들을 보면, 이 단계에서 실험이나 시뮬레이션을 하기도 하고, Python, MATLAB 등을 활용하여 프로그래밍을 하기도 한다. 또는 나노과학, 재생가능에너지 등 첨단기술 연구에 관한 선시물을 창작하기도 하고, 다양한 것을 설계하여 산출물을 제작하는 경우도 있다.

해결방안을 효과적으로 제시하기 위해서는 해결할 문제를 정확히 규명하고, 발산적으로 아이디어를 내보며, 어떤 아이디어가 더 좋은지 평가해보는 과정이 효과적이다. 그리고 그 아이디어를 구현해내기 위해 다양한 집단의 사람들에게 의견을 수렴할 수도 있다. 이 과정을 통해 좀 더 창의적이고 효과적인 해결방안이 도출될 수 있다.

5. 사회적 실천(Take action) 단계: T

사회적 실천 단계는 도출한 해결 방안을 동료, 지역사회 등과 공유하고 지속가능한 사회발전을 위해 다양한 방식의 참여와 실천을 수행하는 단계이다. 실천의 경험은 ENACT 프로젝트 참여자들이 사회적 책임감과 그들의 역할에 대해 반성적 고찰을 하게 되는 기회를 제공할 수 있다. 따라서 다양한 사회적 실천 방법과 사례를 인지하고, 작은 실천이라도 실행에 옮겨보는 경험을 할 필요가 있다.

사회적 실천의 방법은 다양하다. 본인이 도출한 해결 방안을 지역사회 주민들과 함께 실행해봐도 좋고, 유튜브나 브로슈어 등을 제작해 홍보하는 방법도 있다. 필요하다면 관련 정책을 만드는 데 의견을 제안할 수도 있다. 본인의 전문성을 활용해서 관심 있는 시민들을 위한 교육활동에도 참여할 수 있다. 친구들과 문제해결을 위한 챌린지를 이어나갈 수도 있다. 너무 큰 실천이 아니어도 좋다. 작은 실천이라도 해나가는 경험이 쌓이면 열매를 기대해볼 수도 있기 때문이다.

CHAPTER

03

ENACT 프로젝트 수행하기

지금부터 ENACT 프로젝트를 수행해보자. 앞에서 설명한 대로 ENACT 모형은 두 개의 Cycle로 구성되어 있다. Cycle I에는 ENACT 프로젝트의 1단계부터 3단계가 포함되어 있으며, Cycle II에는 4단계와 5단계가 포함되어 있다. 본 장에서는 각 Cycle에서 ENACT 단계별로 무엇을 하게 되며, 어떠한 방법으로 수행하는지를 하나씩 설명한다. 예시를 살펴보면서 단계적으로 따라해보자.

ENACT PROJECT

SECTION 01 ENACT 프로젝트 1단계 쟁점발견
SECTION 02 ENACT 프로젝트 2단계 쟁점탐색
SECTION 03 ENACT 프로젝트 3단계 미래상황 예측
SECTION 04 ENACT 프로젝트 4단계 과학 · 기술 · 공학적 쟁점해결
SECTION 05 ENACT 프로젝트 5단계 사회적 실천

SECTION 01

ENACT 프로젝트 1단계: 쟁점발견

ENACT 프로젝트의 첫 번째 Cycle: 1단계부터 3단계까지

Cycle I은 과학기술과 관련된 쟁점을 탐색하고 미래를 예측하는 과정을 통해 과학기술의 본성과 불확실성을 이해하는 것을 목적으로 한다. Cycle I에는 [그림 6]과 같이 ENACT 모형의 1단계 쟁점탐색부터 3단계 미래상황 예측까지 세 단계가 포함된다.

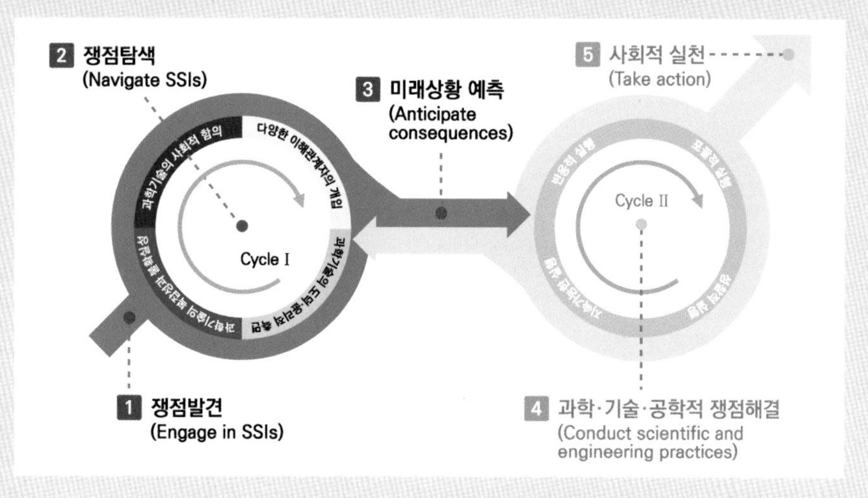

[그림 6] Cycle I과 1단계-3단계

Cycle I의 안쪽을 살펴보면, 과학기술의 사회적 함의, 다양한 이해관계자의 개입, 과학기술의 도덕·윤리적 측면, 과학기술의 복잡성과 불확실성의 네 가지 요소가 적혀 있다. 이는 Cycle I을 수행하면서 과학기술이 사회에 긍정적, 부정적 영향을 미칠 수 있음을 깨닫고, 과학기술과 관련된 다양한 가치와 관점을 가진 이해관계자가 존재함을 알고 그들 사이의 관계를 탐색할 수 있게 됨을 의미한다. 또한 과학기술이 특정 계층에 대한 이익을 대변하거나 혹은 소외시킴으로써 도덕·윤리적 문제를 낳을 수 있다는 점, 그리고 과학기술의 매우 복잡한 불확실성 때문에 그 파급효과와 미래상황을 예측하기가 어렵다는 점 등을 이해하는 것이 매우 중요함을 의미한다.

1. 단계 설명

ENACT 프로그램의 첫 번째 단계는 과학기술과 관련된 쟁점을 찾아보는 쟁점발견 단계이다.

먼저, 쟁점(爭點)의 사전적 의미를 살펴보면, '서로 다투는 중심이 되는 점'이다. 영어로는 논란거리가 있는 문제(controversial issue)로 번역된다. 이 둘을 합쳐 생각해보면, 쟁점이란 사람들이 서로 다른 의견이나 입장을 갖고 있어 논쟁이 되는 문제를 말한다. 특히 ENACT 프로그램에서는 일상생활 속의 다양한 쟁점 중에서도 과학기술과 관련된 사회쟁점에 초점을 둔다. 예를 들어, 최근 논란이 되고 있는 인공지능은 엄청난 양의 데이터를 분석하여 재빠르게 이미지를 분류하거나 예측하는 기능을 한다. 동시에 일반인과 음란물을 합성하는 딥페이크나 올바르지 못한 언어습관을 학습한 챗봇 등 윤리적인 문제도 낳고 있다. 백신 또한 우리 몸을 질병으로부터 예방해준다는 장점이 있지만, 예상치 못한 부작용과 같이 위험성을 지니고 있다. 이와 같이 과학기술의 발달로 인해 편리함과 이익을 얻으면서도 그와 동시에 위험이나 문제점을 낳을 수 있는 논쟁적인 문제를 탐색하고 이를 해결해보는 것이 ENACT 프로그램의 궁극적인 목표이다.

이 단계에서는 과학기술의 발달로 인해 나타나는 사회쟁점을 나열해본 후, 하나의 쟁점을 선택하여 쟁점 속에 담겨진 논란을 살펴보게 된다. 쟁점발견을 위해 다양한 자료를 검색하고 수집하는 과정에서 과학기술관련 사회쟁점의 의미를 파악하게 되며, 과학기술이 우리의 삶을 윤택하게 만드는 동시에 위험과 문제상황도 낳을 수 있음을 알게 된다. 또한 그 쟁점들을 왜 해결해야 하는지에 대해서도 생각해보게 된다.

쟁점발견 단계는 [그림 7]과 같은 순서로 진행된다.

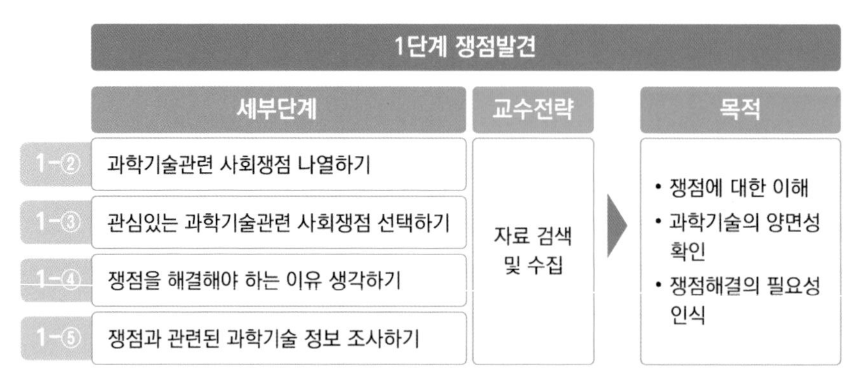

[그림 7] 1단계 쟁점발견의 개요

2. 쟁점발견 과정

(1) 과학기술관련 사회쟁점 나열하기 워크북 1-①

ENACT 프로젝트를 위한 과학기술관련 사회쟁점을 찾는 방법은 크게 두 가지를 들 수 있다. 첫 번째는 본인이 평소에 관심 있는 과학기술을 먼저 떠올린 후 이와 관련된 사회쟁점을 찾아보는 방법이다. 예를 들어, 에어팟이나 버즈와 같이 소음을 줄여주는 노이즈 캔슬링이라는 과학기술 또는 제품에 관심이 많은 학생이라면 노이즈 캔슬링 이어폰이 자동차 경적소리를 차단하는 문제를 생각해볼 수 있다. 두 번째는 미디어에 등장하는 과학기술과 관련된 사회문제를 찾아보는 것이다. 관심 있는 과학기술이나 첨단기술과 함께 사회문제, 사건, 피해, 논란 등의 키워드를 검색해볼 수 있다. 인터넷 웹사이트에서 사회문제, 사건, 피해, 논란 등과 관련된 키워드를 검색하면 다양한 종류의 기사나 영상 등을 찾을 수 있다. 예를 들어, 가습기 살균제로 인한 피해, 일회용 마스크로 인한 폐기물 급증 등이 가능하다.

방법 1	방법 2
과학기술을 중심으로 생각해보기	사회쟁점을 중심으로 생각해보기
• 평소에 관심있는 과학기술이나 분야 • 과학기술을 이용한 제품	• 미디어 속 등장하는 사회쟁점 • 사회문제, 사건, 피해, 논란 등의 키워드

[그림 8] 쟁점발견을 위한 두 가지 방법

[표 3] 과학기술과 관련된 사회쟁점 예시

예시 과학기술	예시 과학기술관련 사회쟁점
노이즈 캔슬링	노이즈 캔슬링으로 인해 위험을 알리는 주변 소리가 차단되는 문제
생분해성 플라스틱	생분해성 플라스틱 분리배출에 대한 인식 부족
일회용 마스크	코로나19 팬데믹 속 일회용 마스크 소비 및 폐기 문제
미세섬유	세탁 시 나오는 미세섬유가 우리의 입 속으로?

(2) 관심있는 과학기술관련 사회쟁점 선택하기 워크북 1-②

관심 있는 과학기술과 관련된 내용을 검색해보면, 해당 과학기술을 둘러싼 쟁점들을 쉽게 찾을 수 있다. 얼마 전 논란이 되었던 생리대 속 발암물질 검출로 인한 유해성 논란도 예시가 될 수 있고, 코로나19로 인해 일회용 마스크 사용이 늘어나면서 급증한 마스크 폐기물과 생태계 파괴문제 또한 과학기술관련 사회쟁점이 될 수 있다. 본인의 관심사와 관련된 과학기술관련 쟁점을 여러 가지 생각해보았다면, 이 중에서 가장 관심 있는 쟁점을 하나 골라 주요 내용을 살펴보자. 해당 쟁점에서 논란이 되는 부분이 무엇이며, 그 이유는 무엇일까?

예시

> 코로나19 사태가 장기화되면서 전 세계의 사람들이 마스크를 이용하는 만큼, 일회용 마스크와 관련된 쟁점을 찾아보았다. 천으로 만든 마스크나 신소재를 이용한 재사용이 가능한 마스크도 있지만, 많은 사람들은 높은 여과비율과 편의성을 이유로 일회용 마스크를 선호하고 있다. 일회용 마스크는 가벼우면서도 코로나 바이러스로부터의 전염을 높은 확률로 막아주고 심지어 가격도 저렴한 편이다. 그러나 지구상의 모든 사람들이 매일 1개씩 일회용 마스크를 쓴다면 어느 정도의 마스크가 만들어지고 버려지고 있을지 감히 예상하기도 힘든 수준이다. 처리해야할 마스크 폐기물은 상상을 초월할 정도로 대량이며, 그마저도 대부분의 사람들은 마스크를 사용한 모양 그대로 버리는 경우가 많다. 사용한 마스크를 아무런 처리 없이 쓰레기통에 버리게 되면, 버려진 마스크의 귀끈에 야생동물의 코가 끼는 등 생태계에 미치는 피해가 무척 크다. 일회용 마스크가 우리에게 가져다주는 이로움도 매우 크지만, 그와 관련된 생태계 파괴문제나 폐기물로 인한 피해가 상당하다.

(3) 쟁점을 해결해야 하는 이유 생각하기 워크북 1-③

관심 있는 쟁점을 선택하였다면, 이제는 선택한 쟁점을 해결해야 하는 이유를 생각해보자. 과학기술관련 사회쟁점을 해결해야 하는 이유로는 "우리 가족의 안전에 치명적인 위험을 가져올 수 있기 때문에", "환경파괴의 원인이 되기 때문에", "그냥 내버려 둘 경우 더 큰 문제를 야기하기 때문에", "사람들의 먹거리와 관련된 것이기 때문에", "위험한 상황임에도 사람들이 관심을 갖지 않기 때문에", "하루빨리 대처가 필요한 문제이기 때문에" 등 다양한 이유가 있을 수 있다.

(4) 쟁점과 관련된 과학기술 정보 조사하기 워크북 1-④

쟁점을 충분히 이해하기 위해서는 해당 과학기술에 대한 이해가 필요하다. 이 과학기술이 무엇인지, 왜 이 과학기술이 개발되었는지, 어떻게 응용되어 사용되고 있는지, 왜 문제를 일으킬 수 있는 가능성이 있는지 등에 대해 조사해보자. 예를 들어, 노이즈 캔슬링 이어폰이 자동차 경적소리나 나무가 부러지는 등의 위험을 알리는 소리를 듣지 못하는 문제를 생각해본다고 가정해보자. 이와 관련된 문제를 생각해보기 위해서는 먼저 노이즈 캔슬링 이어폰이 어떠한 원리로 작동하는지, 어느 정도의 데시벨까지 소음을 줄일 수 있는지 등에 대한 정보를 수집할 필요가 있다.

SECTION 02

ENACT 프로젝트 2단계: 쟁점탐색

1. 단계 설명

ENACT 프로그램의 두 번째 단계는 관심 있는 쟁점을 본격적으로 탐색해 보는 단계이다. 쟁점탐색 단계에서 가장 핵심이 되는 내용은 과학기술과 관련된 쟁점을 둘러싸고 있는 다양한 이해관계자들을 살펴보고, 처해있는 상황이나 입장에 따라 쟁점에 대한 해석이 달라질 수 있음을 이해하는 것이다. 이를 통해 과학기술에 내재해 있는 복잡성과 불확실성의 의미를 깨닫게 된다.

그렇다면 이해관계자(stakeholder)는 무엇을 의미할까? 이해관계자는 이익과 피해를 의미하는 이해(利害)와 어떠한 일에 관련이 있는 사람 또는 물체인 관계자의 합성어이다. 즉, 이해관계자는 해당 과학기술로 인해 서로 이익과 피해를 주고받는, 다시 말해 긍정적인 영향과 부정적인 영향을 주고받는 다양한 관계자들을 의미한다. 이해관계자에는 사람뿐만 아니라 동물이나 식물, 해양, 토양, 대기 등 다양한 환경도 포함될 수 있으며, 개인이나 집단이 될 수도 있다.

쟁점을 탐색할 때, 우리가 이해관계자를 고려해야 하는 이유는 무엇일까? 앞서 살펴본 과학기술관련 쟁점의 특징을 생각해보면, 하나의 쟁점이라 할지라도 이를 둘러싼 아주 다양한 사람들이 있다. 그리고 이들 중에는 과학기술의 발달로 인해 이익을 보는 사람도 있지만 피해를 입는 사람들도 존재하게 된다. 예를 들어, 댐을 짓는 문제를 생각해보자. 강 하류의 사람들은 홍수피해를 덜 입게 되어 댐 건설을 반기겠지만, 댐을 건설할 위치에 살던 사람들은 졸지에 삶의 터전을 잃게 된다. 과학기술은 누구에게나 좋은 점만 안길 수는 없기 때문에 이를 둘러싼 다양한 입장의 이해관계자가 존재하게 된다. 쟁점을 해결하기 위해서는 1단계에서 선택한 쟁점과 관련된 이해관계자가 누구인지, 각각의 이해관계자가 어떠한 상황에 놓여있는지, 또 왜 그러한 입장일 수밖에 없는지 탐색해볼 필요가 있다. 다양한 이해관계자가 있음을 알고 그들의 입장을 충분히 이해하는 것이 선행되어야만 4단계에서 해결해야 할 문제와 해결해야 할 방향을 정할 수 있다.

쟁점탐색 단계는 [그림 9]과 같은 순서로 진행된다.

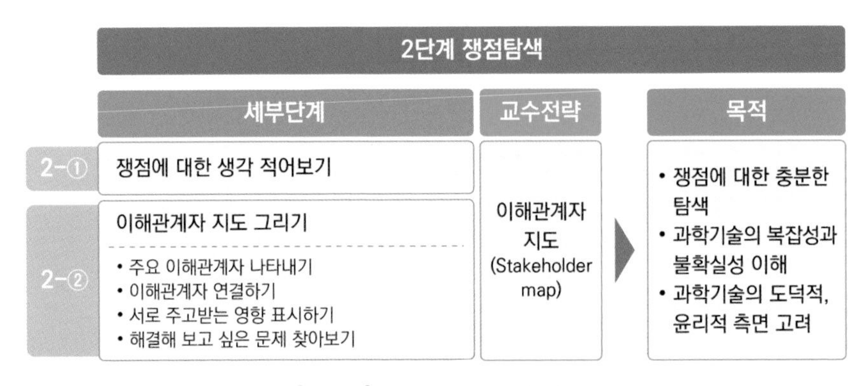

[그림 9] 2단계 쟁점탐색의 개요

2. 쟁점탐색 과정

(1) 쟁점에 대한 생각 적어보기 워크북 2-①

본격적으로 쟁점을 탐색하기에 앞서, 1단계에서 선정한 쟁점에 대한 여러분의 생각을 적어보자. 쟁점과 관련된 다양한 사람들이나 환경 등에 대해 알아보기 전에 나의 생각을 정리해보는 것은 큰 도움이 된다. 해당 쟁점에 대한 여러분의 입장은 무엇이며, 그렇게 입장을 정한 이유는 무엇인가? 만약 여러분이 미세플라스틱으로 인한 환경오염을 쟁점으로 정했다면, 잘게 쪼개진 플라스틱이 바다로 흘러가 결국 우리가 먹는 참치캔에도 들어간다는 사실에 대해 느끼는 감정을 적어볼 수 있다. 또는 플라스틱 이용량을 줄여야 한다는 데에는 공감하지만, 플라스틱 사용을 지금 당장 중지하기보다는 생분해성 플라스틱으로의 전환이나 다른 신물질의 개발이 필요함을 생각해볼 수도 있다.

(2) 이해관계자 지도 그리기 워크북 2-②

쟁점을 탐색하는 방법에는 여러 가지가 있다. 인터넷에서 다양한 자료를 조사하거나 도서나 영상 등을 이용해 쟁점 상황을 충분히 공감하고 이해해 보는 방법도 있다. ENACT 프로젝트에서는 그중에서도 이해관계자 지도를 작성하여 쟁점을 둘러싼 관계자들이 누구이며 그들이 서로 어떠한 관계에 있는지 알아보고자 한다. 이해관계자 지도는 이해관계자와 그들 사이의 관계를 그림으로 표현하고 연결하기 때문에, 중요한 사람들을 단순히 나열하거나 글로만 적을 때에는 인식하지 못했던 관계를 확인해볼 수 있다. 또한 각 이해관계자가 주고받는 영향과 중요도를 고려해봄으로써, 여러분이 해결할 수 있는 잠재적인 문제를 찾아볼 수 있게 된다. 그렇다면 이해관계자 지도는 어떻게 그릴까? 다음 네 단계를 따라가면 이해관계자 지도를 그릴 수 있다.

[그림 10] 이해관계자 지도 작성을 위한 세부 단계

① 주요 이해관계자 나타내기

이해관계자 지도를 그리는 첫 번째 단계는 선정한 쟁점과 관련된 다양한 이해관계자를 나열해보는 것이다. 인터넷, 도서 등의 자료를 조사해보면서 쟁점을 일으키거나 영향을 주는 관계자와 쟁점으로 인해 영향을 받는 관계자 모두를 찾아 나열해본다. 개별적으로 작성한 이해관계자 목록을 조원들과 공유하면서 주요 이해관계자가 가능한 많이 포함될 수 있도록 한다. 그리고 유사한 이해관계자를 한데 묶어 그룹화 해보자.

예를 들어, 일회용 생리대의 화학물질로 인한 안전성이라는 쟁점을 선택했다고 가정하자. 일회용 생리대와 관련하여 생각해볼 수 있는 이해관계자는 개인이나 집단, 환경 등이 있다. 특히 여성들은 평생 1인당 일회용 생리대 약 10,000개를 이용하는 주요 소비자이므로 주요 이해관계자가 된다. 여성뿐만 아니라 생리대를 만드는 제조회사, 생리대 안전을 감시하고 인증하는 정부 및 식품의약품안전처, 생리대 생산 및 이용과정에서 발생하는 다양한 오염과 오염에 영향을 받는 환경 또한 주요 이해관계자가 된다. 이때 제조회사 안에도 생리대의 면섬유를 납품하는 펄프제조회사, 여러 가지 층을 접착하는 접착제 화학회사, 친환경 기술 개발자 등 커다란 제조회사라는 이해관계자 안에도 다양한 입장을 지닌 관계자들이 숨어있다. 환경 또한 일회용 생리대 매립이나 소각으로 인해 영향을 받는 토지, 대기 등으로 나누어진다.

예시

과학기술관련 사회쟁점 중앙에 적기

선정한 과학기술관련 사회쟁점을 중앙에 적는다.

일회용 생리대
화학 접착제

주요 이해관계자 나타내기

선정한 쟁점과 관련된 다양한 이해관계자를 나열해본다. 먼저 스스로 이해관계자 목록을 작성해본 후, 조원들과 공유하여 주요 이해관계자가 모두 포함될 수 있도록 한다.

소비자, 일회용 생리대 기업, 정부, 식품안전품의약처, 대체재 생산업체, 면생리대 생산업체, 생리컵생산업체, 접착제 제조업체, 생리대 개발자, 해외직구 대행업체, 시민단체, 생리대 판매업체, 환경, 해양, 토양, 대기 등

② 이해관계자 연결하기

두 번째 단계는 나열한 주요 이해관계자들을 선으로 연결하는 것이다. 처음에는 순서나 유사 내용과 관련 없이 단순히 적어보기만 했다면, 이번에는 유사한 입장에 있는 이해관계자끼리 가까운 위치에 놓고 서로 연결이 되지 않을 것 같은 이해관계자는 다소 먼 위치에 놓아본다. 이후 이해관계자들이 영향을 주고받는다면 화살표가 있는 선으로 연결해본다. 이 과정에서 서로 전혀 관련이 없어보였던 관계자가 상호작용하는 것을 확인할 수 있으며, 쟁점과 관련된 관계자들이 상당히 많고 복잡하게 연결되어 있다는 것을 깨달을 수 있다.

예시

이해관계자 연결하기

중앙의 쟁점을 시작으로 쟁점과 영향을 주고받는 이해관계자를 적어보자. 비슷한 입장에 있는 이해관계자를 가까운 위치에 둔다.

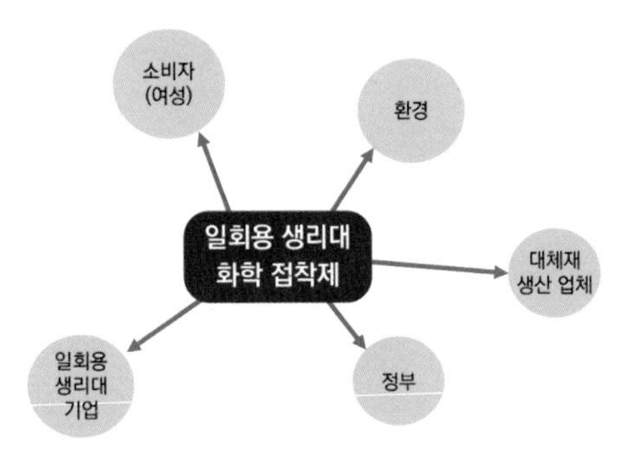

쟁점과 이해관계자를 '선'으로 연결하고 그 관계를 적는다.

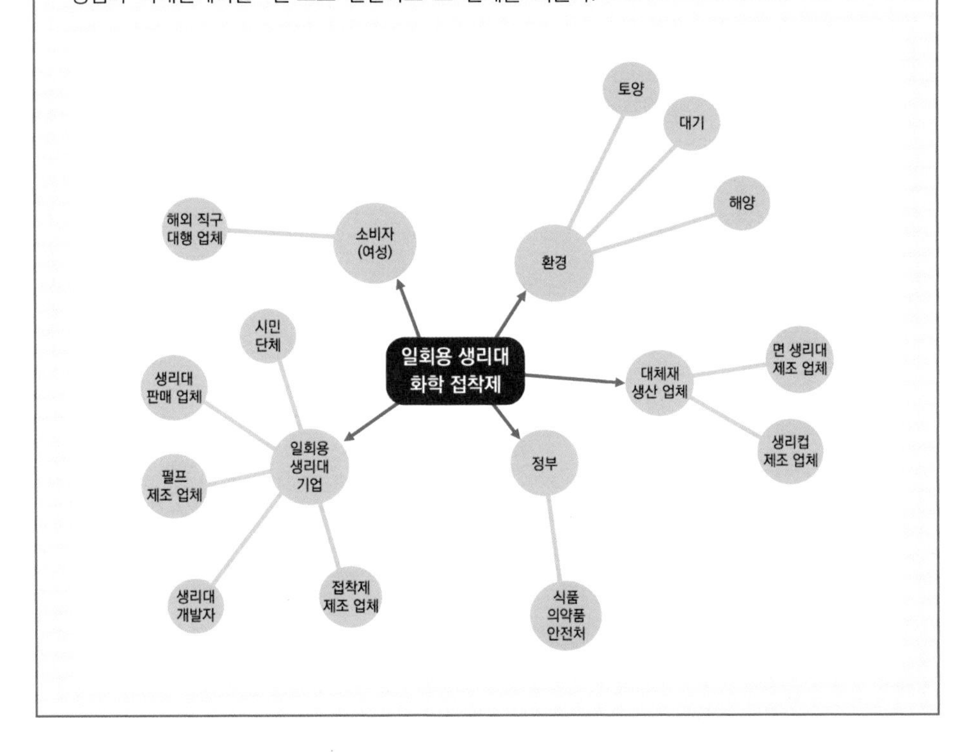

③ 서로 주고받는 영향 표시하기

세 번째 단계는 본격적으로 이해관계자 지도를 구성하고 시각화하는 단계이다. 앞서 나타낸 관계의 중요도나 영향력, 연결 정도를 고려하여 선의 방향이나 원(사각형)의 크기, 색상 등을 다르게 해볼 수 있다. 아래 예시를 살펴보면 가장 핵심이 되는 이해관계자인 여성 소비자, 제조사, 환경을 가운데에 두었다. 또한 서로 주고받는 화살표 안에 작은 글씨로 어떠한 방식으로 관계가 연결되는지 설명해 놓았다.

예시

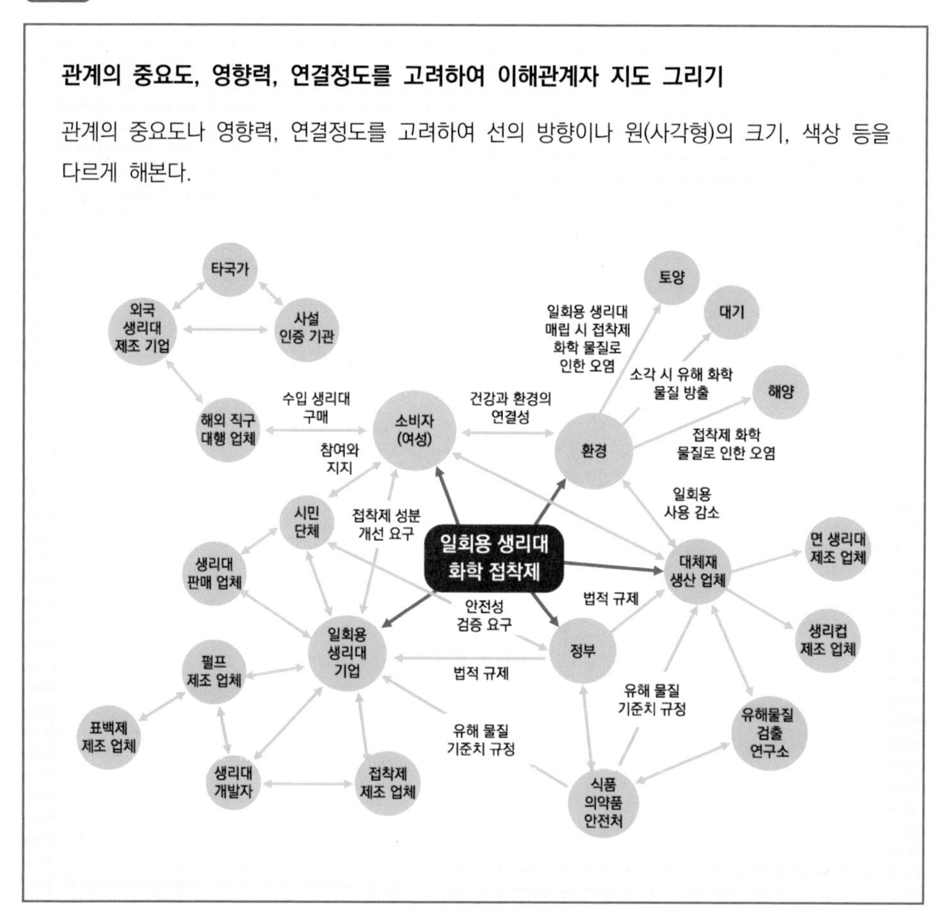

④ 해결해보고 싶은 문제 찾아보기

이해관계자 지도를 모두 작성했다면 이 중에서 우리가 조금이나마 해결해볼 수 있는 부분이 무엇일지 생각해본다. 아래 이해관계자 지도에서는 생리대 속 화학접착제와 여성의 건강과 환경에 미치는 영향이 가장 중요한 만큼, 주요 이해관계자인 소비자와 환경, 일회용 생리대 기업을 진한 파란색으로 표현하여 이들 간 주고받는 영향에 집중해보았다. 이처럼 이해관계자 지도를 작성하는 과정에서 이전에는 미처 생각해보지 못했던 다양한 사람들이 아주 복잡하게 얽혀있음을 확인할 수 있다. 또한 넓게 펼쳐진 이해관계자 지도를 보면서 좀 더 관심있게 들여다 보고 싶은 부분, 한번 해결책을 찾아보고 싶은 부분을 발견할 수 있다.

예시

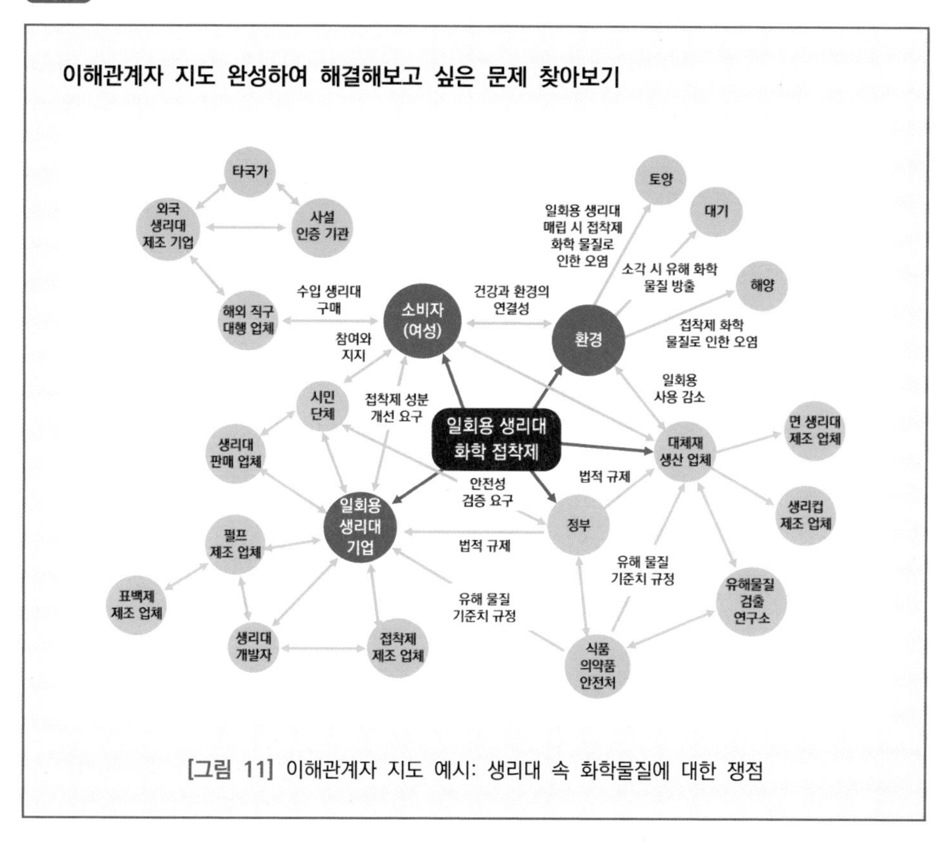

[그림 11] 이해관계자 지도 예시: 생리대 속 화학물질에 대한 쟁점

이해관계자 지도에는 특히 중요한 이해관계자도 있고 상대적으로 덜 중요한 이해관계자도 있다. 여러분이 그린 이해관계자 지도에서 핵심이 되는 이해관계자를 고르고, 이들을 주요 이해관계자라 생각한 이유를 적어보자. 이해관계자 지도에서 주요한 이해관계자에 대해 알아보는 것은 다음에 진행할 3단계와 4단계, 5단계에 도움이 된다. 3단계에서 미래를 예측하는 과정에서도 주요 이해관계자를 중심으로 다양한 미래를 예상해볼 수 있으며, 4단계에서도 주요 이해관계자와 관련된 부분을 고민해보고 쟁점을 해결할 부분을 찾을 수 있게 된다. 5단계 또한 여러분이 4단계에서 마련한 해결방안을 실천하는 과정에서 주요 이해관계자에게 안내하거나 참여를 촉구하는 행동을 할 수 있다.

SECTION 03

ENACT 프로젝트 3단계: 미래상황 예측

1. 단계 설명

ENACT 프로그램의 세 번째 단계는 과학기술의 잠재적인 위험과 사회적 영향을 고려하여, 미래시점의 일들을 상상해보는 미래상황 예측 단계이다. 3단계에서는 현재 과학기술과 관련된 쟁점이 지속될 경우 일어날 미래상황과, 이 문제를 해결하여 바람직하게 개선될 경우의 미래상황을 상상해본다. 그렇다면 바람직한 미래는 어떠한 방향이어야 하며, 이 방향으로 실현되기 위해서 해결해야 하는 문제들은 무엇일까?

미래에 어떤 일이 일어날 수 있을지 예측하는 것은 쉽지 않다. 그럼에도 불구하고 미래를 예측해보는 것은 현재를 개선하고 앞으로 바람직한 방향으로 발전해나갈 수 있다는 점에서 중요하다. 특히 ENACT 프로젝트에서는 기상청 일기예보처럼 한 가지의 정확한 값으로 미래를 예측하기보다는(predict), 현재 상황에서 잠시 떨어져서 미래에 대한 방향성을 갖고 비전을 세우는 의미의 예측(anticipate)을 해본다. 이 과정에서 미래가 한 방향으로 결정되어 있는 것이 아니라, 우리의 노력으로 다양한 모습으로 뻗어 나갈 수 있다는 것을 알게 된다. 따라서 3단계에서는 사회 · 경제 · 환경 · 개인적인 측면에서 펼쳐질 다양한 미래의 가능성을 생각해보자. 좀 더 구체적으로, ENACT 프로젝트에서는 현재 상황과 바람직한 미래의 차이를 살펴보고 바람직한 미래로 나아가기 위한 길을 예상해보면서, 문제상황의 원인과 발전방향을 설정해볼 것이다. 4단계와 5단계에서는 바람직한 미래로 나아가기 위해 어떻게 문제상황을 변화시키고 실천할 수 있을지를 고민하기 때문에, 문제가 지속되었을 때의 미래와 바람직한 미래를 예상해보는 3단계는 더욱 중요하다.

실제로 우리 사회에서는 미래예측을 통해 현재의 문제상황을 파악하고 발전방향을 수정하고 있다. 그중 대표적인 예시는 기후변화 문제에 대처하기 위해 설립된 국제기구인 IPCC(기후변화에 관한 정부 간 협의체)로, 기후변화의 과학적 근거와 정책방향을 제시하는 역할을 한다. 특히 IPCC는 수많은 요인을 고려하여 예측한 기후변화 평가보고서를 발간하는데, 각국에서는 이에 기초하여 유엔기후변화협약을 체결하고 교토의정서 및 파리협정을 채택하는 등 현재를 개선하여 보다 나은 미래를 위해 노력을 기울여왔다. 최근 승인된 IPCC 6차 보고서에서는 강력한 기후정책이 필요한 최저배출량 시나리오(RCP 1.9)부터 비기후정책 고배출량 시나리오(RCP 8.5)까지 다섯 가지의 시나리오를 예측하였으며, 우리나라도 이를 고려하여 기후변화에 대응하고자 노력 중에 있다. 이와 같이 미래상황을 구체적으로 예측해보는 것은 잠재적인 위험을 줄이고 미래를 적극적으로 변화시킬 수 있는 중요한 방법이 된다. 미래상황을 예측하기 위해 미래학(future studies)에서는 다양한 방법을 사용한다. 이 중 ENACT 프로젝트에서는 앞으로 일어날 미

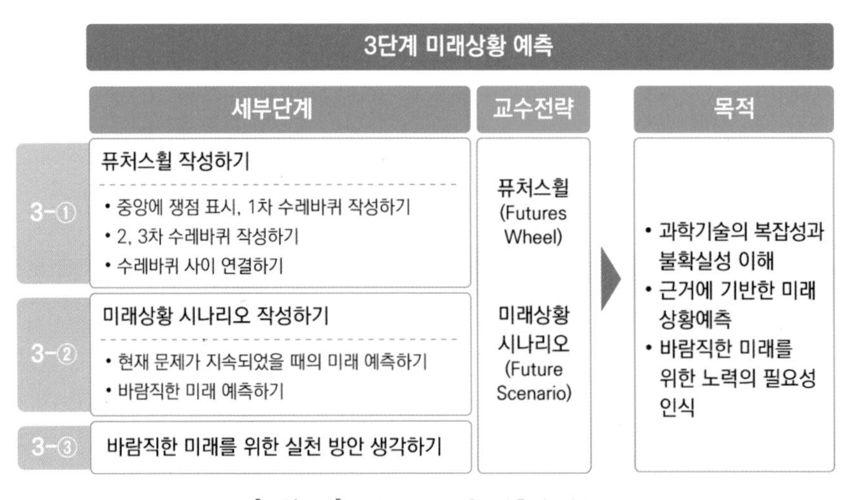

[그림 12] 3단계 미래상황 예측의 개요

래를 다각도로 예측해보기 위해 퓨처스휠과 미래상황 시나리오를 활용한다. 미래상황 예측 단계는 [그림 12]와 같은 순서로 진행된다.

미래에도 종류가 있을까? 퓨처스콘

우리는 다양한 미래의 모습을 상상해볼 수 있다. 시간축을 기준으로 현재로부터 가까운 미래와 먼 미래로 구분할 수도 있고, 실제 일어날 것 같은 미래와 상상 속에만 존재할 것 같은 미래도 있다. Hancock과 Bezold(1994)는 아래 그림과 같이 오늘이라는 작은 점에서 시작하여 다양한 미래가 가능하다는 것을 나타내는 퓨처스콘(Futures cone)을 그려 설명하였다.

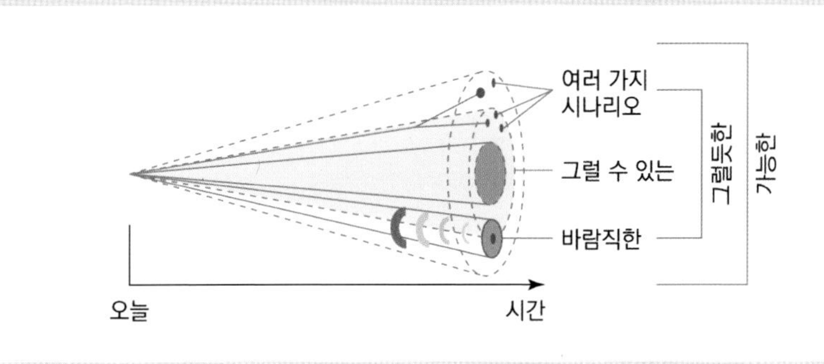

[그림 13] 퓨처스콘: 다양한 종류의 미래

미래는 가능성과 방향성에 따라 가능한(possible), 그럴듯한(plasuible), 그럴 수 있는(probable), 바람직한(desirable) 미래의 네 가지 미래로 구분해볼 수 있다. 먼저 가능한(possible) 미래는 가능성이 낮더라도 우리가 상상할 수 있는 모든 미래를 의미하며, 그럴듯한 미래(plausible)는 현재 주어진 정보를 종합해볼 때 일어날 수 있는 미래(projection)를 의미한다. 그럴 수 있는(probable) 미래는 현재의 방식이 지속되었을 때 일어날 수 있는 미래이며, 바람직한(desirable) 미래는 현재로부터 잠시 떨어져서 바람직한 비전의 모습을 담고 있는 미래이다. 서로 비슷해 보이지만 네 가지의 미래는 다소 다른 특징을 지니고 있다. 특히 바람직한 모습의 미래는 우리가 추구하는 가치와 목표가 무엇인지, 어떠한 미래에서 살고 싶은지 상상해보는 것이 필요하다는 점에서 다른 미래들과 차별화된다.

2. 미래상황 예측 과정

(1) 미래상황 예측 방법1: 퓨처스휠 작성하기 워크북 3-①

퓨처스휠(Futures Wheel)은 국제미래학회 회장인 제롬 글렌(Jerome Glenn)이 1971년 개발한 미래예측기법으로, 새롭게 발생하는 문제가 미래 사회에 미치는 영향을 분석하기 위해 개발된 방법이다. 특히 퓨처스휠은 마인드맵과 같이 중간에 주요 주제어를 두고 나뭇가지를 뻗어나가듯이 미래를 예측할 수 있도록 되어 있다. 퓨처스휠은 1차, 2차, 3차 수레바퀴를 두고 그 사이를 가지치듯이 연결하여 표현하기 때문에, 단순히 1차적으로 미래에 미치는 영향뿐만 아니라 2차, 3차로 파급되는 영향을 알아내는 데 용이하다. 또한 서로 다른 하위 바퀴가지들을 연결하여 표현하기 때문에 다양한 영역 간 관계도 파악할 수 있다.

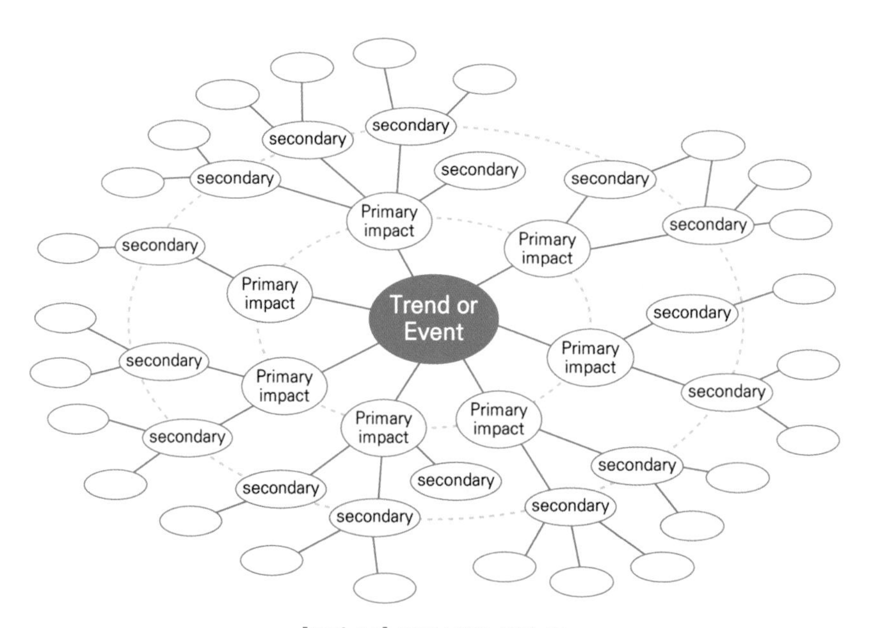

[그림 14] 퓨처스휠의 기본 틀

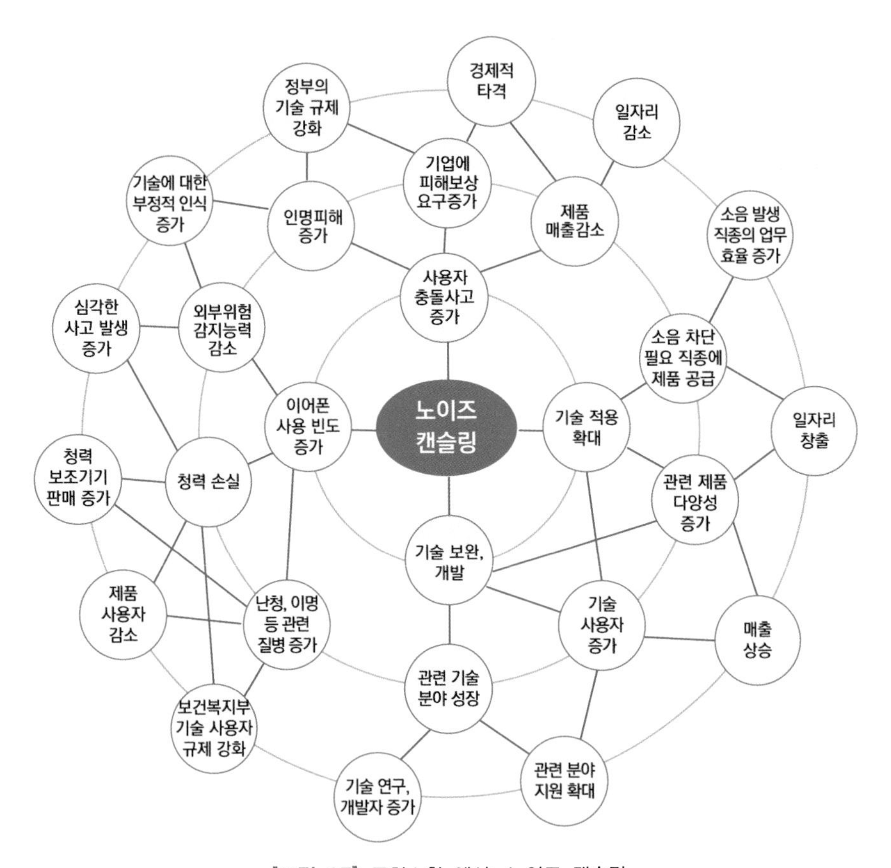

[그림 15] 퓨처스휠 예시: 노이즈 캔슬링

[그림 15]는 최근 이용량이 급증하는 노이즈 캔슬링 이어폰과 관련된 사회쟁점을 중심으로 작성한 퓨처스휠 예시이다. 노이즈 캔슬링 이어폰으로 인해 소리를 더욱 크게 듣는 습관이 생겨 청력과 관련된 질병이 증가하고, 나아가서는 청력 손실로 인해 외부위험을 감지하는 능력이 감소되어 심각한 사고가 발생할 수 있을 것이라 예상하였다. 한편으로는 노이즈 캔슬링을 적용한 제품이 소음 차단이 필요한 직종에 보급될 것이며, 이를 통해 소음이 발생하는 직종의 업무효율이 증가되고 더 발달된 기술이 개발될 것이라는 미래상황도 예측해보았다.

퓨처스휠은 말그대로 미래에 대한 수레바퀴를 의미하며, 1차부터 2, 3, 4차까지 가까운 미래부터 먼 미래까지 사회적 파급 영향을 구체적으로 생각해본다는 데 의미가 있다. 퓨처스휠을 작성하는 방법은 아래와 같다.

① 중앙에 쟁점 표시하기 및 1차 수레바퀴 작성하기

2단계에서 탐색한 쟁점 또는 주제를 퓨처스휠의 중앙에 적는다. 해당 쟁점으로 인해 발생할 수 있는 1차 사회적 파급 영향들을 다양한 분야에서 고려하여 중앙 쟁점 주변에 적어 1차 수레바퀴를 완성한다. 과학기술관련 쟁점으로 인해 가장 가깝게 영향을 받을 수 있는 부분을 생각해본다.

② 2, 3차 수레바퀴 작성하기

1차 수레바퀴의 파급 영향으로 인해 2차로 발생할 수 있는 사회적 파급 영향을 적어 2차 수레바퀴를 만든다. 이후 가능하다면 3, 4차 파급영향으로 확장한다. 직접적으로 영향 받을 수 있는 부분이 아닌, 경제, 사회, 정치, 환경 분야 등 해당 과학기술관련 사회쟁점이 영향을 줄 수 있는 부분까지도 생각해본다.

③ 수레바퀴 사이 연결하기

수레바퀴를 최대한 확장시킨 후, 사회적 파급 영향들 간에 서로 주고받는 관계가 있다면 화살표로 인과관계 또는 상관관계를 추가적으로 표시한다. 이를 통해 과학기술관련 사회쟁점이 미래에 미치는 영향들이 서로 연결되어 있음을 확인할 수 있다. 생리대 속 화학접착제와 관련된 사회쟁점에 대해 미래를 예측하여 퓨처스휠을 그려보면 아래 [그림 16a, b, c]와 같다.

예시

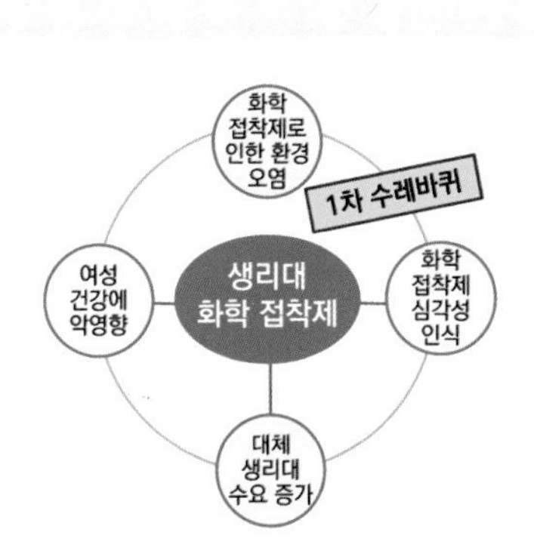

[그림 16a] 1차 수레바퀴 작성

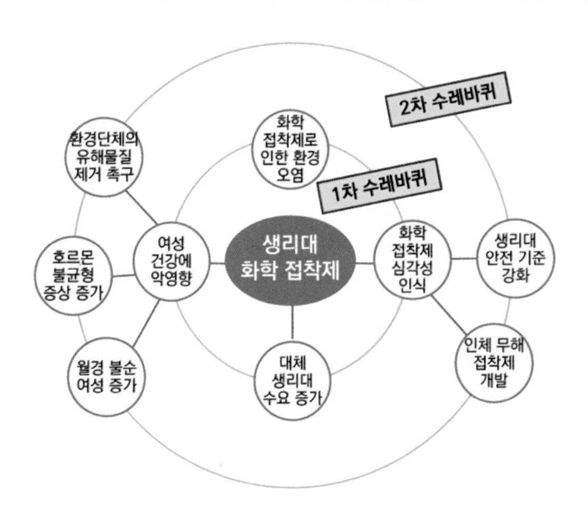

[그림 16b] 2차 수레바퀴 작성

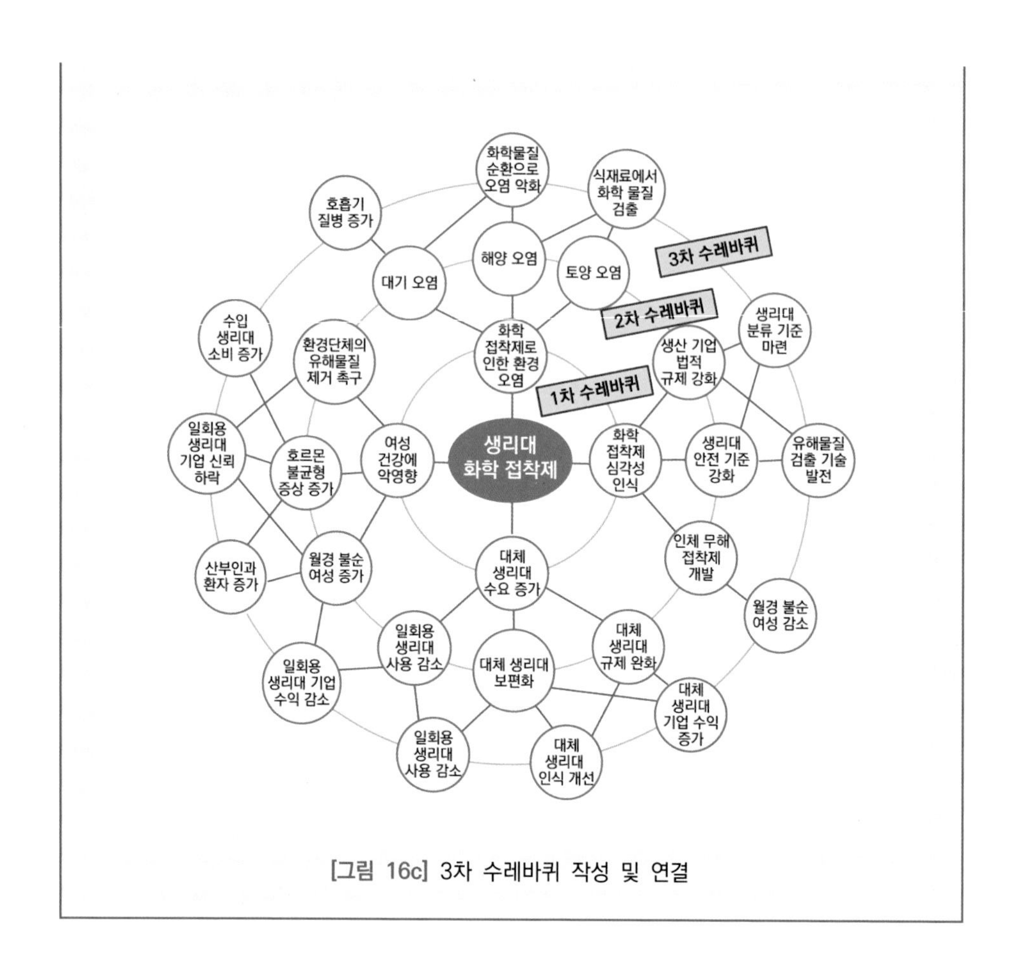

[그림 16c] 3차 수레바퀴 작성 및 연결

(2) 미래상황 예측 방법2: 미래상황 시나리오 작성하기 워크북 3-②

복잡한 현대사회의 다양한 상황을 고려하여 그럴듯한 미래 사회를 다양하게 예측해보는 하나의 방법은 가상의 시나리오를 작성하는 것이다. 시나리오는 가능한 미래상황과 그러한 미래가 실현되도록 하는 발전 방향을 서술한 것이다. 미래에 대한 완벽한 설명보다는 해당 미래로 발전해나가기 위해 중점을 두어야 할 부분에 대해 설명하는 것이 필요하다. 따라서 정확한 하나의 미래를 예측하기보다는 다양한 미래사회의 가능성을 살펴보고, 바람직한 방향으로 나아가기 위해 무엇을 해결해야 할지를 고민하는 단계이다.

미래상황 시나리오를 작성하기 위해 먼저, '현재 문제상황이 그대로 지속될 때의 미래'와 '바람직하게 개선될 미래'에 대한 시나리오를 작성해보자. 특히 100년, 200년과 같이 너무 먼 미래를 공상과학적으로 예상하기 보다는, 지금으로부터 10년 후의 미래를 시나리오 형식으로 작성해본다면 보다 손쉽게 시작할 수 있다.

① 현재의 문제상황이 지속될 때의 미래 예측하기: 그럴 수 있는(probable) 미래 예측

아무런 노력 없이 현재의 문제상황이 해결되지 않고 그대로 지속될 '그럴 수 있는 미래'를 예측해보자. 이를 위해 현재의 문제상황을 정확하게 파악한 후, 이로 인해 생겨날 수 있는 잠재적인 위험과 사회에 미칠 수 있는 영향을 예측해본다. 현재의 문제가 지속되었을 때 일어날 수 있는 미래를 생각해 본다면, 분명 그 과정에서 이 쟁점을 해결해야 한다는 마음이 싹트게 될 것이다. 특히 다양한 자료를 검색하고 전문가의 예상을 참고하여 시나리오를 작성해봄으로써, 단순히 공상이나 상상에 기초한 것이 아니라, 명확한 자료와 근거에 기반하여 미래를 예측하는 힘을 기를 수 있다.

예시

외래 식물이 지금처럼 계속 늘어난다면 어떤 미래가 될까?

식물은 토양이 비옥할 수 있도록 유수분을 제공하는 역할을 한다. 수분을 머금고 있어야 하는 식물이 생물 다양성 감소로 인해 사라지게 되면 땅 속의 수분이 감소하여 사막화가 발생할 수 있다. 사막화가 발생하면, 토양의 반사율이 증가하게 되고, 가뭄을 일으켜 주변의 토양과 그 지역의 전체적인 기후까지 변화시켜 사막화가 더욱 심화된다. 계속되는 사막화와 황폐화로 인한 도미노 효과로, 결국 땅에서 작물이 잘 자라지 못하게 되고, 이는 더 다양한 개체의 멸종을 불러일으킬 것이다. 식물 개체 수 감소는 식물을 주식으로 하는 초식동물의 개체 수 감소에도 큰 영향을 줄 수 있다. 이후, 농업과 목축업을 주요 생계 수단으로 삼는 제3세계를 시작으로 식량난과 물부족난이 점차 심화될 것이고 향후 30년 안에 인류의 절반 이상이 깨끗한 물을 섭취하지 못하며, 식량으로 사용하는 작물도 얻지 못하게 될 것이다. 이는 수출,

수입 등으로 밀접하게 연결된 주변 선진국에까지도 악영향을 미쳐 결국 마지막에는 전 인류의 생명을 위협하게 될 것이다.

② 현재의 문제상황이 바람직하게 개선될 때의 미래 예측하기: 바람직한(desirable) 미래 예측

'바람직한 미래'를 예측하기 위해 현재 문제상황에 대한 이해뿐만 아니라, 해당 문제가 해결되었을 때의 모습을 예상해보자. 모든 것이 다 바람직하게 해결되기는 어렵지만, 적어도 여러분은 어떠한 미래를 추구하는지 그 가치와 비전에 대해서는 고민해보게 된다. 이를 통해 현재 문제상황에서 바람직한 미래로 나아가기 위해 필요한 문제해결이 무엇인지 중요한 힌트를 얻을 수 있다.

예시

우리가 생태계 보존을 위해 노력한다면 다가올 수 있는 바람직한 미래는?

생태 환경의 보존에 있어서 사람들의 인식은 매우 중요하게 작용한다, 예를 들어, 우포늪과 같은 자연환경 보전지역은 사람들에게 보호지역으로 인식되어 있기 때문에 인위적인 훼손이 거의 발생하지 않아 동물과 식물의 서식처를 제공하는 생태학적 기능을 수행한다. 이처럼 빅데이터, 딥러닝 등의 IT기술을 이용하여 멸종 위기 동물이 서식하는 지역을 데이터화하고, 이를 이용하여 생태지도를 제작한다면, 생태지도에 표기된 지역을 많은 사람들이 보존해야 할 구역으로 인식하고 훼손하지 않으려고 노력하게 될 것이다. 즉, 딥러닝, 빅데이터 기술을 통해 생태지도를 제작하였을 때, 많은 사람들의 사회적인 인식을 개선함으로써 청정지역이 보다 완벽히 보존되는 미래를 만들어나갈 수 있다.

(3) 바람직한 방향으로 나아가기 위한 실천 방안 생각하기 워크북 3-③

앞서 살펴본 두 가지의 미래상황이 상당히 다른 모습임을 확인하고, 이를 통해 현재의 문제상황을 해결해야 할 필요성을 체감하게 된다. 현재의 문제상황이 바람직한 미래로 나아갈 수 있도록 하는 과학기술 발전의 방향성을 생각해보고, 우리가 이를 위해 실천할 수 있는 방안에는 무엇이 있을지 간단하게 적어보자. 우리는 4단계에서 현재의 문제를 해결하여 바람직한 방향으로 나아갈 수 있도록 해결방안을 마련할 것이므로, 두 가지 미래의 차이를 줄일 수 있도록 우리가 할 수 있는 실천 방안이 무엇이 있을지 먼저 살펴보는 것이 상당히 중요하다.

SECTION 04

ENACT 프로젝트 4단계: 과학 · 기술 · 공학적 쟁점해결

ENACT 프로젝트의 두 번째 Cycle: 4단계부터 5단계까지

Cycle II는 Cycle I에서 살펴본 과학기술관련 사회쟁점을 해결하기 위한 방안을 마련하고, 실천에 옮김으로써 실행과 실천을 강조한다. Cycle II에는 [그림 17]과 같이 ENACT 모형의 4단계 과학·기술·공학적 쟁점해결부터 5단계 사회적 실천까지 두 단계가 포함된다.

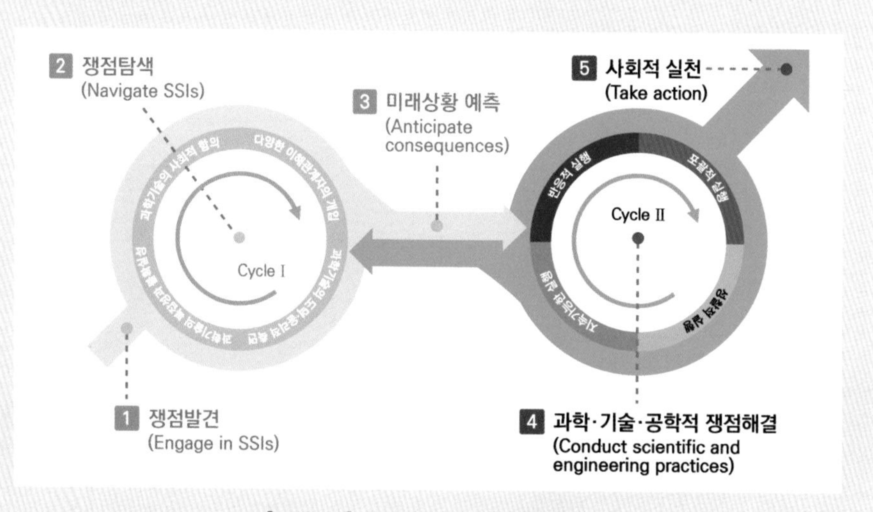

[그림 17] Cycle II와 4단계-5단계

Cycle II의 안쪽을 살펴보면, 반응적 실행, 포괄적 실행, 성찰적 실행, 지속가능한 실행의 네 가지 요소가 적혀 있다. 이는 책임 있는 연구와 혁신(Responsible Research and Innovation)의 주요 특징을 도출한 것으로, 과학·기술·공학적 쟁점 해결과정에 참여하고 실천에 옮길 때 네 가지 요소들을 고려하는 것이 필요하다는 의미이다. 단순히 문제를 해결하는 방법을 찾기보다는 사회가 요구하는 문제를 해결하는지, 다양한 이해관계자의 의견을 고려하여 해결하는 방안인지, 여러 차례 성찰과 고찰의 과정을 거쳤는지, 인류뿐만 아니라 생태계를 비롯하여 지속가능한 문제해결 방안인지 등을 고민해보는 것이 필요하다. 또한 Cycle II의 최종 단계가 사회적 실천인 것처럼 ENACT 프로그램은 바람직한 사회로 나아가는 것을 지향한다.

1. 단계 설명

ENACT 프로그램의 네 번째 단계는 쟁점을 해결하기 위한 방안을 계획하고 실행에 옮기는 과학·기술·공학적 쟁점해결 단계이다. 이 단계에서는 과학적 탐구를 통한 문제해결뿐만 아니라 공학적 설계 및 기술적 설계, 나아가 사회과학적 접근도 가능하다. 이 과정에서 단순히 쟁점을 해결할 수 있는 방안을 마련해보는 것을 넘어, 본인이 수행하는 실행과정이 반응적, 포괄적, 성찰적, 지속가능할 수 있도록 노력하는 과정이 중요하다.

ENACT 프로젝트의 과학·기술·공학적 쟁점해결 단계는 기존의 프로젝트기반 학습(Project Based Learning, PBL)과 상당히 유사한 점이 많다. 둘 다 문제발견에서부터 문제를 구체화하고 다양한 아이디어를 도출하여 평가하며 해결방안을 설계하여 수행한 후 반성하는 일련의 과정을 거치므로 다양한 과학·공학적 기법들을 익히고 활용하게 된다는 공통점이 있다. 그러나 ENACT 프로젝트의 4단계는 앞의 1－3단계를 거쳐 해당 과학기술과 쟁점에 대한 충분한 이해를 기반으로 문제해결을 진행하며, 문제 해결과정에서도 RRI의 중요 요소들을 고려하는 것을 강조한다. 그리고 문제 해결 후 사회적 실천으로 이어진다는 점에서 차이가 있다. 과학·기술·공학적 쟁점 해결 단계는 [그림 18]과 같은 순서로 진행된다.

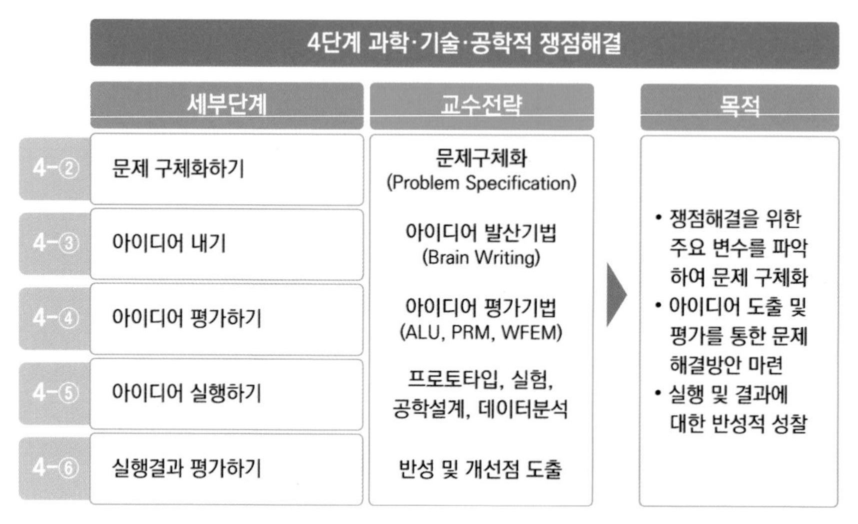

[그림 18] 4단계 과학·기술·공학적 쟁점해결의 개요

2. 과학·기술·공학적 쟁점해결 과정

(1) 문제 구체화하기 워크북 4-①

과학·기술·공학적 쟁점해결을 위한 첫 번째 단계는 문제를 구체화하는 단계이다. 여기에서 어떤 독자는 '언제부터 쟁점이 문제가 되었지?'라는 궁금증을 지닐 것이다. 정답을 미리 안내하면, 미래상황 예측에서 쟁점해결 단계로 넘어오는 과정에서 쟁점이 문제로 변경되었다. 미래상황을 예측하는 3단계의 마지막 부분에서 바람직한 방향의 미래와 현재 문제상황이 지속되었을 때의 미래를 비교해보고 이를 개선하기 위해 노력해야 할 것을 간단히 적어보았다. 쟁점해결의 4단계는 3단계 마지막에서 생각해 본 실천 방

안을 구체적으로 계획하고 실행해보는 과정이다. 따라서 이제부터는 과학기술관련 사회쟁점에 초점을 두는 것이 아니라, 이 쟁점을 만들어내는 문제상황을 해결해나가는 문제해결의 형태를 띠게 된다.

따라서 쟁점해결의 첫 단추는 문제를 재정의하고 문제를 구체화하는 것이다. 그렇다면 문제는 무엇을 의미할까? 문제는 도달해야 하는 목표를 알고 있으나, 그 목표에 도달하는 방법을 알지 못하거나 장애물이 있는 상태를 의미한다. 우리는 우리의 목표에 도달하는 방법을 모르고 있는 상태인가? 혹은 대략적인 방법은 아는데 장애물을 어떻게 넘어야할지 모르는 상태인가? 쟁점을 만들어내는 문제를 정확하게 규명함으로써 쟁점해결을 위한 첫걸음을 내딛게 된다.

① 문제 상세화 및 문제 해결을 위한 정보 찾기 워크북 4-①-❶

쟁점해결을 위해 쟁점과 관련된 문제를 하나 선정했다면, 이와 관련된 다양한 정보를 찾아보아야 한다. 문제를 해결하기 위해서는 앞서 Cycle I에서 찾은 쟁점을 둘러싼 정보가 아닌, 이를 해결하기 위한 방안을 마련하는데 필요한 직접적인 정보들을 찾을 필요가 있다. 그렇다면 어떠한 정보들을 찾아야 문제를 해결할 수 있을까? 또한 필요한 정보를 어디에서 조사할 수 있을까? 문제해결을 위한 정보를 조사하는 방법은 크게 세 가지로 관찰, 면담(전문가, 일반인 등), 현장조사 등으로 생각해볼 수 있다. 아래 질문은 문제를 상세화하고 정보를 찾는 데 도움이 된다.

- 어떤 추가 정보를 찾아야 할까?
- 주된 문제해결 방법은 어떤 것이 가능할까? (실험, 발명, 프로토타입 제작, 시뮬레이션, 데이터 해석 등)
- 문제에 대한 정보, 해결방법에 대한 정보를 우리에게 제공해줄 수 있는 사람은 누구일까?
- 사전 현장 조사가 필요한 부분인가?

② 문제해결을 위한 변인 및 요인 찾기 워크북 4-①-❷

관찰이나 면담, 현장조사를 통해 실제적인 정보를 찾게 되면, 기존에 인터넷이나 문헌을 통해 얻은 정보와 조합하여 쟁점 중에서 어떠한 부분을 문제로 여기고 해결해야 하는지를 생각해볼 수 있다. 쟁점을 풀어나가기 위해 해결해야 하는 문제는 하나가 아니라 다양하다. 따라서 그 중에서 어떠한 문제를 해결해나갈지를 생각해본다.

처음부터 해결해야 할 문제를 구체적으로 정하기가 어렵다면 먼저 '변인이나 요인'을 찾아보는 것이 좋다. 미래상황 예측 3단계의 마지막 문항(워크북 3-③)에서 바람직한 미래로 나아가기 위해 실천해야 할 것이 여기에서 말하는 변인이나 요인이 될 수 있다.

학교를 다니며 과학시간에 '변인'이라는 말을 수차례 들어보았을 것이다. 변인에는 크게는 독립변인과 종속변인이 있고, 독립변인 안에는 조작변인과 통제변인이 있다. 우선 종속변인은 독립변인에 의해 값이 변하는 변인으로, 종속변인을 우리가 원하는 방향으로 바꾸는 것이 문제해결의 목표가 될 수 있다. 그렇다면 '무엇을 어떻게 바꾸어서' 원하는 결과를 얻어낼 수 있을지 생각해보자. 여기서 바꾸어야 할 대상이 조작변인 혹은 요인이 되며, 이 대상이 직접적으로 결과를 주는 것이 맞는지를 확인하기 위해 다른 변인들을 통제하고 테스트를 해보아야 한다. 통제하는 다른 변인들을 통제변인이라 한다.

학생들이 다양한 변인들을 바꿔가면서 결과를 예측해보는 과정을 간단하게 아래 예시에서 제시하였다. 아래 예시는 적정기술 제작의 예시이므로 실제적인 재료 혹은 도구를 바꾸고 있는데, 실험적인 상황에서는 온도, 습도, 노출 시간 등을 조절하는 것도 모두 조작변인이 됨을 알아두자.

예시

가나의 중금속 수질 오염으로 인한 농업용수의 부족이라는 과학기술관련 사회쟁점을 해결하기 위한 방법을 마련하는 과정에서 기존 기술의 한계점을 찾아보았다. 이 과정에서 기존에 쓰인 기술들을 하나의 변인으로 살펴보고, 그 한계점을 보완하고 현지화하기 위한 방법을 찾아보았다. 학생들은 물 공급이 어려운 지역에서 물을 끌어오는 적정기술로 기존에 개발되어 있던 머니메이커(moneymaker)를 바퀴가 달린 이동식 펌프로 교체하고, 기존에 철로 이루어진 펌프 본체와 내부 부품을 재활용 가능 플라스틱과 스테인레스로 대체함으로써 한계점을 보완하고자 하였다. 또한 스프링 클러를 대신하여 펌프를 끌고 다니면서 물을 공급할 수 있도록 마련하고, 이 펌프에 소형 물탱크를 달아 농업용수 공급원으로부터 원하는 양만큼 주입하고 정화할 수 있는 이끼필터를 부착하는 것으로 각각의 변인을 찾고 대체할 방법을 마련하였다.

위의 예시에서 학생들이 고려한 변인들은 무엇이었을까? 종속변인은 '오염되지 않은 농업용수의 공급'일 것이다. 이를 위해 물을 원활하게 끌어오기 위한 머니메이커(펌프)를 개선하기, 펌프의 무게, 펌프 소재로 인한 내부 손상, 양수를 위한 기능, 중금속 수질 오염 해결 방법 등이 모두 해결해야 하거나 바꾸어야 하는 변수가 된다.

예시

오염되지 않은 농업용수의 공급을 위해 해결할 변수

- 공급 방법: 기존 머니메이커 ▶ 바퀴 달린 이동식 펌프
- 펌프 본체: 철 ▶ 재활용 가능 플라스틱
- 내부 부품: 철 ▶ 스테인레스
- 양수 방법: 페달을 눌러 양수 ▶ 핸들을 겸할 수 있는 수직 손잡이로 양수
- 물 공급 방법: 스프링클러를 이용한 물 공급 ▶ 펌프을 끌고 걸어 다니면서 물 공급
- 펌프에 소형 물탱크를 달아 농업용수 공급원으로부터 원하는 양만큼 주입하고 이를 정화할 수 있는 이끼필터 부착

이렇게 변인까지 정리하고나면, 이러한 변인을 조절해보면서 바꾸는 과정이 좋은 문제해결 과정인지 짚고 넘어갈 필요가 있다. 쟁점을 풀어나가기 위해 해결해야 하는 문제 중 최적의 문제를 찾아보도록 하자.

(2) 아이디어 내기: 브레인 라이팅(Brain Writing) 기법 워크북 4-②

문제해결을 위한 아이디어를 내는데 효과적인 방법 중 하나는 브레인 라이팅 기법이다. 브레인 라이팅 기법은 단순히 다양한 아이디어를 발산적으로 제시하는 것이 아니라, 발산적 사고 과정 이후에 아이디어를 분석하거나 통합하기도 하고, 또는 분리하는 과정을 통해 아이디어를 정리하는 과정까지 포함한다. 이와 유사한 브레인 스토밍 기법은 그룹에서 나오는 아이디어를 비판 없이 모두 수용하고 다양한 아이디어를 내는 데 초점을 두는 반면, 브레인 라이팅 기법은 그룹원들이 아이디어를 순차적으로 제시하되, 다른 그룹원이 제시한 아이디어와 나의 아이디어를 비교하면서 정리하는 과정이 포함된다는 차이점이 있다. 또한 브레인 라이팅 기법을 이용하여 아이디어를 제시하면, 그룹원의 다양한 아이디어를 한눈에 볼 수 있을 뿐만 아니라 좋은 아이디어들을 통합하는 과정을 거칠 수 있게 된다. 최종적으로 세 개 내외의 종합된 아이디어를 도출할 수 있을 것이다.

브레인 라이팅 기법

브레인 라이팅 기법은 소집단으로 아이디어를 다양하게 산출하고 종합하고자 할 때 효과적으로 사용될 수 있다. 다음 소개된 브레인 라이팅 기법에 따라 아이디어를 내보자.

1) 모든 그룹원들이 자신의 아이디어를 포스트잇에 작성한다. 각 포스트잇에는 하나의 아이디어만 작성하도록 한다.
2) 큰 종이의 한쪽 면에 글씨를 쓸 수 있을 정도의 여백을 미리 접어두자. 접은 부분을 다시 펴서, 팀 내에서 종이를 돌리며 각자 작성한 포스트잇

을 종이에 붙인다.

※ 처음 포스트잇을 붙이는 그룹원은 접은 부분 바로 아래에 붙인다. 그 다음 그룹원부터는 원래 있던 포스트잇과 유사한 아이디어는 그 아래에, 새로운 아이디어는 옆으로 나란히 붙인다.

3) 전체 그룹원이 다 아이디어를 붙인 후, 처음 접어서 비워두었던 공간 아래로 붙어 있는 포스트잇 내용들을 종합하여 그 공간에 최종 아이디어를 정리한다.

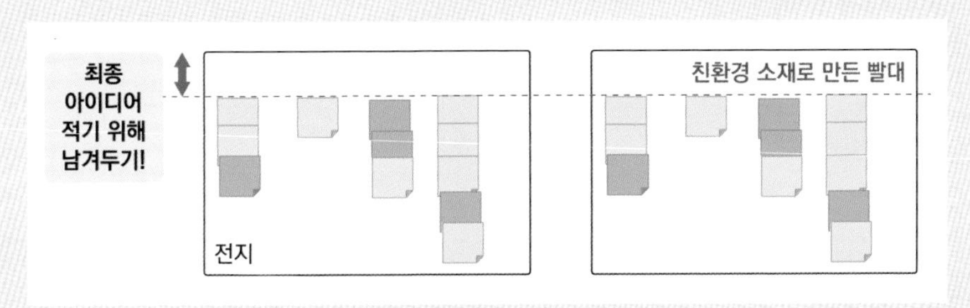

[그림 19] 브레인 라이팅 기법으로 아이디어 내기

※ 그룹원들이 서로 이야기를 나누면서 아이디어의 위치가 수정되거나 포스트잇의 내용에 대한 수정 제안 등이 있을 수 있다. 아이디어 수정에 대한 중재를 위해 그룹원 내 리더의 역할을 할 사람을 정하거나, 그룹 외로 퍼실리테이터의 역할을 담당할 사람을 초대해도 좋다.

(3) 아이디어 평가하기: ALU 기법, PRM 기법, WFEM 기법 워크북 4-③

브레인 라이팅 기법을 통해 다양한 아이디어를 도출했더라도, 이 아이디어들을 모두 실행에 옮길 수는 없다. 여러 가지 아이디어 중에서도 가장 적절한 아이디어를 선정하는 과정이 필요하다. 그렇다면 최적의 아이디어를 선정하기 위한 방법은 무엇일까?

아이디어를 평가할 때 중요한 것은 '준거'를 이용하는 것이다. 예를 들어, 아이디어의 지속가능성, 예산의 적절성, 독창성, 활용가능성 등과 같이 아이디어의 장단점을 판단할 수 있는 기준들이 준거가 될 수 있다. 평가준거가 만들어지면, 그 준거에 따라 상, 중, 하 또는 좋은, 보통, 미흡 등의 배점을 제시할 수도 있고, 서술식으로 평가하는 방법도 가능하다.

ENACT 프로그램에서는 제시된 아이디어들을 평가준거에 따라 구분하고 평가하는 ALU 기법, PRM 기법, WFEM 기법을 소개하고자 한다. 이때 첫 번째로 선정된 아이디어만으로 문제해결이 되지 않거나 어려움이 있는 경우에는 두 번째나 세 번째 아이디어를 수행해볼 수 있으니, 선정되지 않은 아이디어도 잘 정리해두는 것이 좋다.

ALU 기법

ALU 기법은 제시된 아이디어들을 사전에 정한 몇 가지 평가준거를 기준으로 장점(Advantage), 제한점(Limitation), 특이한 점(Unique)을 작성해보면서 아이디어를 평가하는 방법이다. 창의적 문제해결에서 아이디어 판별 도구로 PMI(Plus, Minus, Interesting) 기법과 유사하게 사용된다. 다만 PMI는 아이디어 자체에 대해 일반적으로 평가한다면, ALU는 평가 준거를 기준으로 각 아이디어의 장점, 제한점, 특이한 점을 평가한다는 점에서 차이가 있다.

ALU 기법을 진행하기 위해서는 먼저 평가준거를 정해야 한다. 특별하게 정해진 평가준거가 있지 않으므로 그룹 내에서 평가준거를 제시해보고 그에 기반하여 아이디어를 평가해보면 된다. ALU 기법을 이용하여 최적의 아이디어를 선정하는 방법은 원하는 아이디어의 기준에 따라 세 가지 정도로 생각해볼 수 있다.

- 장점(A)이 많은 아이디어 선택하기: 해당 아이디어의 제한점이 있더라도 이를 감수하고 장점을 살리는 아이디어가 필요한 경우에 장점이 많은 아이디어를 선택한다. 모두를 위한 보편적 기술보다는 강점이 부각되는 방식으로 아이디어가 사용될 때의 기준이 된다. 대체로 이 첫 번째 기준을 많이 따른다.

- 제한점(L)이 적은 아이디어 선택하기: 부각되는 장점이 부족하더라도 제한점이 적어 보편적인 기술로서 활용되는 아이디어를 선택하고자 할 때 사용된다. 일정 지역에서의 적정기술 혹은 유니버셜 디자인에서 많이 사용된다.

- 특이한 점이 많거나 독특한 것(U)이 있는 아이디어 선택하기: 사실 세 번째 기준만으로 아이디어를 선택하기는 어렵다. '현실적으로 가능한 아이디어인가'라는 근본적인 질문에 대한 해답이 선행되어야 하기 때문이다. 물론 처음부터 가능한 아이디어만 제출하라는 제한점이 있었다면, 세 번째 기준만으로 아이디어를 선정하여 독창성이 보장되는 아이디어를 선택하기도 한다. 이 세 번째 기준은 특허 출원, 창의성 대회와 같은 형태에서 많이 사용된다.

첫 번째 장점이 많은 아이디어나 두 번째 제한점이 적은 아이디어를 복합적으로 사용하는 경우가 가장 많다. 종합하여 이야기하면, '장점이 많으면서 제한점이 적은 아이디어를 선택하는 것'이다. 그 중 장점이 많은 것을 더 중요하게 생각하느냐, 제한점이 적은 것을 더 중요하게 생각하느냐의 차이가 목적에 따라 다르게 나타날 것이다. 만약 이 두 가지 기준으로 아이디어를 선정했을 때 동률이 나온다면, 그때는 세 번째 기준이 빛을 발할 때이다.

평가준거 ③	아이디어	① 아이디어A	아이디어B	아이디어C	아이디어D	비고
② 실현가능성	A(장점)					
	L(제한점)					
	U(독특한 특성)					

[그림 20] ALU 기법으로 아이디어 평가하기

PRM 기법

Pair-Ranking Method (PRM) 기법은 ALU에 비해 과정이 많고 복잡하기는 하지만, 선정할 아이디어를 명확하게 추려낼 수 있다는 장점이 있다. 따라서 아이디어를 평가할 때에는 아이디어의 개수나 평가의 타당성 등을 고려하여 더 선호하는 방법을 이용하면 된다.

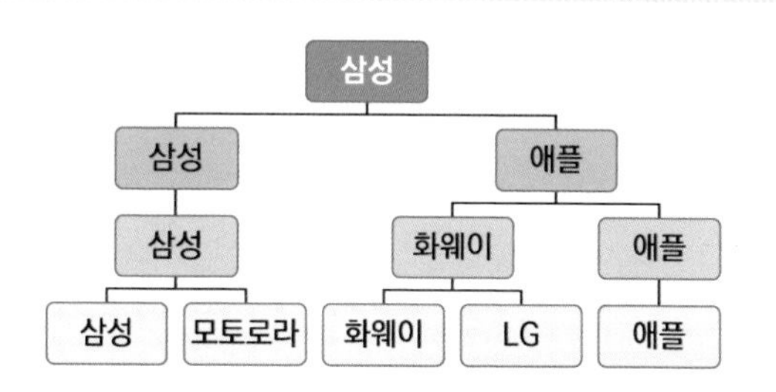

[그림 21] PRM 기법으로 아이디어 평가하기

PRM은 짝을 지어 평가하는 방식, 흔히 말해 '이상형 월드컵' 방식을 이용한다. 후보군이 있다면 이를 두 개씩 서로 비교해서 가장 좋은 것을 선택하는 방식이다. 이는 최종 1개의 후보군을 결정할 때는 좋은 방법이긴 하나, 2, 3위의 후보군이 실제 순위와는 다를 수 있다는 함정이 있다.

가중치 평가 기법(Weighting-Factored Evaluation Method, WFEM 기법)

PRM 기법과 같이 두 개씩 평가하지 않더라도 평가 준거 선정 과정과 가중치 부여를 통해 타당성을 높일 수 있다. 이를 가중치 평가 기법(Weighting-Factored Evaluation Method)이라 한다.

가중치 평가 기법에서는 최소 2-3번의 투표를 하게 되는데, 그 중 첫 번째 투표가 평가 준거 선정 투표이다. 이때 가중치까지 함께 결정된다. 어떤 회사의 핸드폰을 사용할 것인가에 대한 예를 통해 생각해보자. 핸드폰을 살 때 고려하게 되는 다양한 기준(평가 준거)을 서로 말해서 정리한 다음, 이 중 어떤 평가 준거가 더 중요하다고 생각하는지 그룹원이 3-4개 가량 투표한다.

여기서 평가 준거 선정을 위해 투표를 하는 이유는 평가 준거가 많으면 결정이 오히려 어려워지며, 평가 준거를 찾기 위한 브레인스토밍에서는 제시되었지만 다시 생각해보니 중요하지 않은 것 같은 준거를 제외하기 위해서이다. [그림 22]에서도 F(무게) 준거는 누군가 아이디어를 제시했지만, 아무도 중요하게 생각하지 않아 득표수가 하나도 없다. 아래 예시에서는 5명이 중요하다고 생각하는 준거를 3개씩 투표하였고, 그 중 많은 득표를 한 가격, 모양, 인기도 세 가지가 최종 평가 준거로 선정되었다.

핸드폰	얻은 투표	총 투표수
A(크기)	1	1
B(모양)	1111	4
C(색깔)	11	2
D(가격)	11111	5
E(인기도)	111	3
F(무게)		0
합계	3×5(명)=15	15

[그림 22] 최종 평가 준거 선정

이 3개는 '각자 얻은 득표 수 / 3개 득표수의 합'으로 계산되는 가중치를 부여받는다. (제외된 3개의 평가 준거에 투표된 수는 제외한다.) 예) 가격은 총 12표 중에 5표 득표: 5/12=0.42

기준이 3개로 결정되었으므로, 판단해야 하는 대상들을 세 가지 기준으로 다시 투표를 한다. 아래 예시 표는 한 사람이 각 기준에 합하다고 생각하는 것을 2개씩 선택하게 한 후, 그 득표 결과에 각 기준의 가중치를 곱해서 모두 더한 값을 총점으로 하여 순위를 매겼다. 총점이 3점인 삼성이 1위, 1.08인 모토로라가 5위이다.

핸드폰	가격 (0.42)	모양 (0.33)	인지도 (0.25)	총점	순위
삼성	3	3	3	3.00	1
모토로라	1	2	0	1.08	5
화웨이	2	0	3	1.59	4
LG	1	3	1	1.66	3
애플	3	2	3	2.67	2
합계	5명×2안=10	10	10		

[그림 23] 가중치를 고려하여 평가한 아이디어 선정

앞서 소개한 세 가지 기법 중 하나를 선택하여 아이디어를 평가한 후, 가장 높은 점수를 받은 아이디어 하나 또는 여러 아이디어를 종합하여 실행할 방법을 선정한다.

(4) 아이디어 실행하기 워크북 4-④

아이디어를 실행하는 방법은 우리가 알고 있는 다양한 과목, 학문 분야, 연구 방법만큼 다양하다. ENACT 프로젝트에서는 공학에서 주로 사용하는 공학 설계에서의 대표적인 요소로서 '프로토타입 설계', 과학분야에서 주로 사용하는 탐구실험의 대표적 요소로 '실험 설계', 최근 이공계 분야뿐만 아니라 사회과학 분야에서도 활용하고 있는 '데이터 분석'의 세 가지를 소개한다.

프로토타입 설계는 쟁점해결을 위해 기존의 제품을 개선하거나 새롭게 제품을 개발하는 경우이다. 예를 들어, 플라스틱 빨대 사용을 줄이기 위해 새롭게 컵 뚜껑을 제작하거나, 에너지 절약을 위해 태양광을 활용한 모바일 충전기기를 제작해볼 수 있다. 실험 설계는 쟁점해결을 위해 관련된 변수에 대한 관계를 알아보기 위한 경우에 활용할 수 있다. 예를 들어, 일반인의 카페인 섭취를 줄이기 위해 다양한 에너지음료에 들어있는 카페인의 함량을 조사하거나, 교통약자의 편의를 위해 보도블럭의 패턴에 따른 마찰력의 차이를 조사해볼 수 있다. 데이터 분석은 알고리즘과 수학적 처리과정을 적용하여 해당 정보에 대한 결론을 도출하고 패턴을 찾기 위해 초기 데이터를 다루는 분석으로 자료들 간의 의미 있는 상관관계를 찾을 수 있다. 예를 들어, 고객 니즈와 선호도에 대한 데이터 분석을 통해 소비자의 구매 경험을 최적화하는 연구를 수행하거나, 에너지 효율 최적화를 위한 전기에너지 사용량 데이터를 처리해 볼 수 있다. 이 외에도 사회문제 해결을 위한 다양한 연구방법론과 아주 많은 설계 방법들이 있으므로 다른 연구방법을 이용해도 좋다.

실행방법 1: 프로토타입 설계

프로토타입(prototype)은 특정 상품을 제작하는 과정에서 본격적인 상품화에 앞서 핵심 기능만 탑재하여 제작한 기본 모델을 말한다. 실제 성능을 검증하거나 개선하기 위해 제안한 아이디어, 또는 테스트를 위해 만드는 견본품을 의미한다고 보면 된다. 또는 한자어를 이용하여 표현하면 시제품(試製品)이라고도 한다. 만약 여러분이 문제해결을 위해 제품이나 소프트웨어 등을 만들고자 한다면 프로토타입 설계를 선택하여 그에 맞게 단계를 진행할 수 있다. 프로토타입 설계 과정은 [그림 24]와 같이 진행된다.

아이디어 특징 및 제한점 파악	최종 선정된 아이디어를 시각화하고 아이디어에 대한 특징과 제한점 등을 자세하게 적는다.

프로토타입 제작 타당화	시각화한 아이디어를 바탕으로 프로토타입을 제작하는 목적과 필요성을 적는다.

프로토타입 제작 준비	프로토타입 제작을 위한 필요한 배경지식은 무엇인지 적는다.

	프로토타입을 제작하기 위한 재료와 장비를 정리한다.

프로토타입 설계 및 수정	프로토타입 설계과정을 계획하고 설계한 후, 사진과 함께 그 과정을 설명한다.

프로토타입 실행 및 정리	완성한 프로토타입을 실행하고 실행결과를 정리한다.

[그림 24] 프로토타입 설계 과정

프로토타입 설계는 우선적으로 '무엇인가를 만들어내기 위한' 설계이므로 아이디어를 시각화할 필요가 있다. 머릿속으로만 그려보는 것과 실제로 그림으로 나타내보는 것은 큰 차이가 있다. 이때 아이디어를 시각화하는 것만으로는 설명할 수 없는 구체적인 특징이나 제한점 등은 자세하게 기록하여 팀원뿐만 아니라 프로토타입을 이용해보거나 평가할 사람에게도 설명할 필요가 있다. 또한 설계과정에서 가장 중요한 점을 놓치지 않도록 목적과 필요성을 반드시 정리하고, 프로토타입 제작에 필요한 배경지식이나 재료, 장비 등을 정리한다. 최근에는 3D 프린터를 이용하여 프로토타입을 제작하는 경우가 많은데, 이러한 경우에는 실소재를 따로 작성해두는 것이 좋다. 마지막으로 프로토타입의 설명을 위해 평면도, 전개도 등의 그림이나 사진,

이미지로 제작 과정을 설명하는 설계도를 그려두면 더 도움이 된다. 위와 같은 과정을 통해 설계한 프로토타입을 제작해본 후에는 완성된 시제품을 실행해보거나 시뮬레이션해본 후 그 결과를 정리하게 된다.

예시

학생들은 가나 아그보그블로시에 중금속 수질 오염 개선 및 농업 용수로서의 사용을 위한 아이디어로 이끼필터와 머니메이커, 펌프, 소형 물탱크, 이동식 바퀴를 조합하여, 자신들만의 물탱크를 설계하였다.

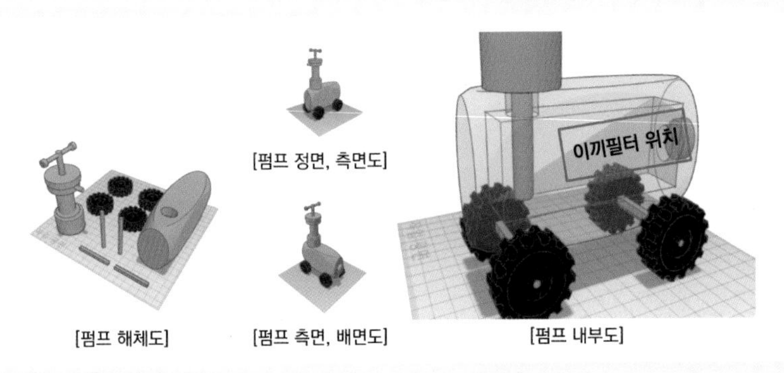

[그림 25] Tinkercad를 이용한 적정기술 구현

- 펌프 본체의 무게: '머니메이커힙펌프' 기준 4.5kg
- 물이 가득 찬 물탱크를 포함한 펌프 전체 무게: 청소년부터 성인까지 이동에 무리 없이 끌 수 있도록 50kg으로 설정
- 빈 물탱크 무게: 500g
- 탱크에 담을 수 있는 물의 양: (50-4.5-0.5) = 45kg = 45L (물의 밀도를 1kg/L로 가정)

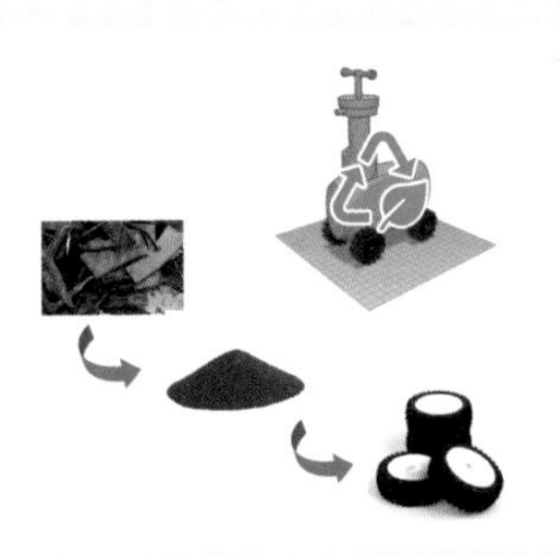

[그림 26] 적정기술을 이용한 설계

- 펌프 본체와 물탱크: 재활용 가능한 플라스틱을 사용
- 내부 부품 (piston rod와 piston): 강한 힘을 전달하기 위해서 비교적 녹이 덜 스는 스테인레스재료를 사용
- 바퀴: 폐타이어나 전자폐기물의 고무 부품을 재활용하여 제작

실행방법 2: 실험 설계

실험은 사실 굉장히 많은 분야에서 사용되는 용어로, 여러분에게 익숙한 단어일 것이라 생각된다. ENACT 프로젝트에서는 과학적 탐구로서의 실험을 주로 이야기하지만, 심리학을 비롯한 사회과학 분야에서는 실험(experiments)이라는 용어를 많이 이용한다. 실제 수행하는 방식의 차이는 있겠지만, 모든 실험은 대체로 가설과 변인(변수)을 세운다는 점에서 동일하다. 선행연구를 조사하고 실험과정과 결과를 연구노트에 상세히 기록하게 되는 점 또한 유사하다(ENACT 워크북 연구노트 샘플(W49쪽 참조). 실험 설계는 크게 가설 설정하기, 선행연구 조사하기, 실험방법 설정하기, 실험 수행하기, 실험결과 정리하기, 실험결론 도출하기로 이루어져 있으며, 실험 설계과정은 다음 [그림 27]과 같이 진행된다.

선행연구에 기반한 가설설정	찾은 변인들을 바탕으로 실험가설을 세운다.

	실험과 관련한 선행연구를 조사하여 정리한다.

실험 설계 및 수행	실험방법, 실험과정 및 활동을 포함하여 실험을 설계한다.

	실험을 실행하고 각 연구 단계별 실험 결과를 작성한다. (실험 과정 중 관찰한 결과, 의도한 사건이나 주목할 만한 사건뿐만 아니라 의도하지 않은 내용까지 빠짐없이 기록)

	관찰 및 실험 결과를 표 혹은 그래프 등 표상(re-presentation)에 용이한 방식으로 작성한 후, 이를 바탕으로 인과관계 혹은 상관관계가 나타나는지 확인한다.

결론 도출 및 시사점 제시	실험 결과를 기반으로 결론을 도출한다.

	실험의 제한점을 적는다.

	실험의 시사점 및 추후연구를 적는다.

[그림 27] **실험 설계 과정**

예시

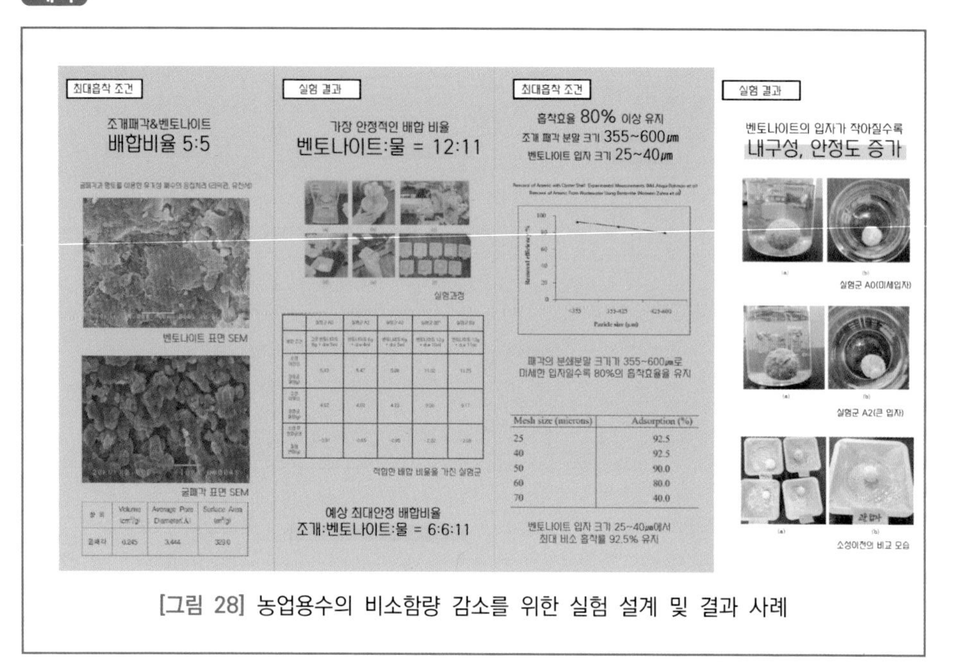

[그림 28] 농업용수의 비소함량 감소를 위한 실험 설계 및 결과 사례

[그림 28]은 방글라데시 지역의 지하수에 비소함량이 높은 문제를 해결하고자 적정기술을 개발하는 과정에서 설계한 실험의 예시이다. 이 학생들은 방글라데시 지역에 많이 있는 조개패각을 벤토나이트와 혼합하면 물 속에서 비소를 잘 흡착할 수 있다는 것을 확인하였다. 방글라데시 지역에서 구하기 쉬우면서도 비소를 더 잘 흡착하고, 내구성이나 안정도가 높은 구형 가공체를 만들기 위해 다양한 실험을 실시하였다. 먼저, 비소를 가장 많이 흡착할 수 있도록 표면적을 높이고자 서로 다른 크기와 형태의 입자를 가지고 있는 조개패각과 벤토나이트의 배합비율을 다르게 하여 실험을 진행해 보았다. 조개패각과 벤토나이트의 배합비율이 5:5일 때 최대로 흡착하며, 벤토나이트와 물이 12:11일 때 가장 안정적인 배합이라는 것을 여러 가지 비교실험을 통해 확인하였다. 이를 토대로 안정적이면서도 많이 흡착할 수 있는 비율이 조개, 벤토나이트, 물의 비율이 6:6:11일 것이라는 가설을 세웠다. 이를 토대로 조개패각의 분말 크기와 벤토나이트의 입자 크기를 다르게

하면서 내구성과 안정도를 측정하는 실험을 실시하였다. 실제 이 구형 가공체가 물통 안에 있으면서 비소를 흡수하고 다시 비소를 뱉어내지 않아야 하기 때문에, 최대 흡착, 내구성, 안정도가 매우 중요하다는 종속 변수를 만족시키도록 다양한 실험을 한 것이다.

실행방법 3: 데이터 분석 및 시뮬레이션

데이터 사이언스가 AI시대를 대변하는 기술이 된 지금, 우리가 생각하는 수준을 훨씬 뛰어넘는 다양한 데이터와 통계자료가 공공재로 활용되고 있다. 데이터 분석을 통해 문제를 해결하는 방법에는 기존 데이터를 이용하여 추세를 찾아낸 후 이를 기반으로 새롭게 설계하는 방법이 있고, 변수들을 다양한 각도에서 조절하여 새로운 결과를 추론해내거나 빅데이터 속에 숨어있는 패턴을 찾아볼 수도 있다. 이는 프로토타입과는 또 다른 모델링 방

데이터 수집

최종 선정된 아이디어를 실행하기 위해 필요한 데이터를 수집한다.

데이터 내 변인 파악

수집한 데이터의 내용을 살펴보고 문제해결을 위한 변인들을 파악한다.

데이터 모델링

처리된 데이터를 바탕으로 다양한 각도에서 변인 간 관계를 탐색하고 새롭게 찾아낸 내용이나 패턴을 정리한다.

데이터 시각화

모델링/설계된 다양한 유형의 데이터를 시각화한다.

결과해석 및 해결방안 도출

결과해석을 바탕으로 문제 해결을 위한 방안을 도출한다.

[그림 29] 데이터 분석 방법

식으로, 데이터 분석과 시뮬레이션만으로도 원하는 결과를 얻어낼 수 있는 좋은 문제해결 방법이 될 수 있다. 데이터 사이언스의 연구방법 과정을 일반화하여 ENACT 프로젝트에 적용한 순서는 다음과 같다.

필요한 데이터를 확보하는 방법으로는 실제로 데이터를 측정하는 방법과 웹사이트에서 제공하고 있는 오픈소스를 활용하는 방법 두 가지가 있다. 데이터를 수집하는 과정에서 생각해볼 기준은 다음과 같다.

- 어떤 데이터를 모을 것인가?
- 어떤 변인이나 정보를 포함하고 있어야 할까? (메타데이터)

데이터를 분석하여 의미있는 결과를 만들어내기 위해 전문적인 프로그램(SPSS, Tableau 등)을 사용할 수도 있지만, 오픈소스를 활용해 프로그래밍(코딩)을 하는 Python이나 R 프로그램을 사용할 수 있다. 또는 Excel을 활용해도 간단하게 패턴을 파악할 수 있다. 예를 들어, 멸종위기 동물의 개체수를 빅데이터를 이용하여 연도별, 지역별로 파악하고, 이를 멸종위기 동물 보호방안을 마련하기 위한 근거로 삼을 수 있다. 다음 [그림 30]과 [그림 31]은 노르웨이의 멸종위기 동물인 호박벌과 나비의 개체수와 관련된 빅데이터를 이용하여 그린 그림이다. 노르웨이에서는 멸종위기 동물을 보호하기 위한 하나의 방법으로 호박벌과 나비가 관찰된 경도와 위도, 날짜, 종류 등 다양한 정보를 저장하여 빅데이터를 구축하고 있다. 이와 같은 빅데이터를 저장한 후 Tableau와 같은 데이터 시각화 프로그램을 이용하면 연도별, 주차별, 지역별 멸종위기 개체수를 확인함으로써 이에 대한 대책을 마련하는 데 이용할 수 있다. 최근 우리나라에서도 생물데이터와 관련된 데이터가 점차 축적되는 중이니 추후 이용해볼 수 있기를 기대한다.

예시

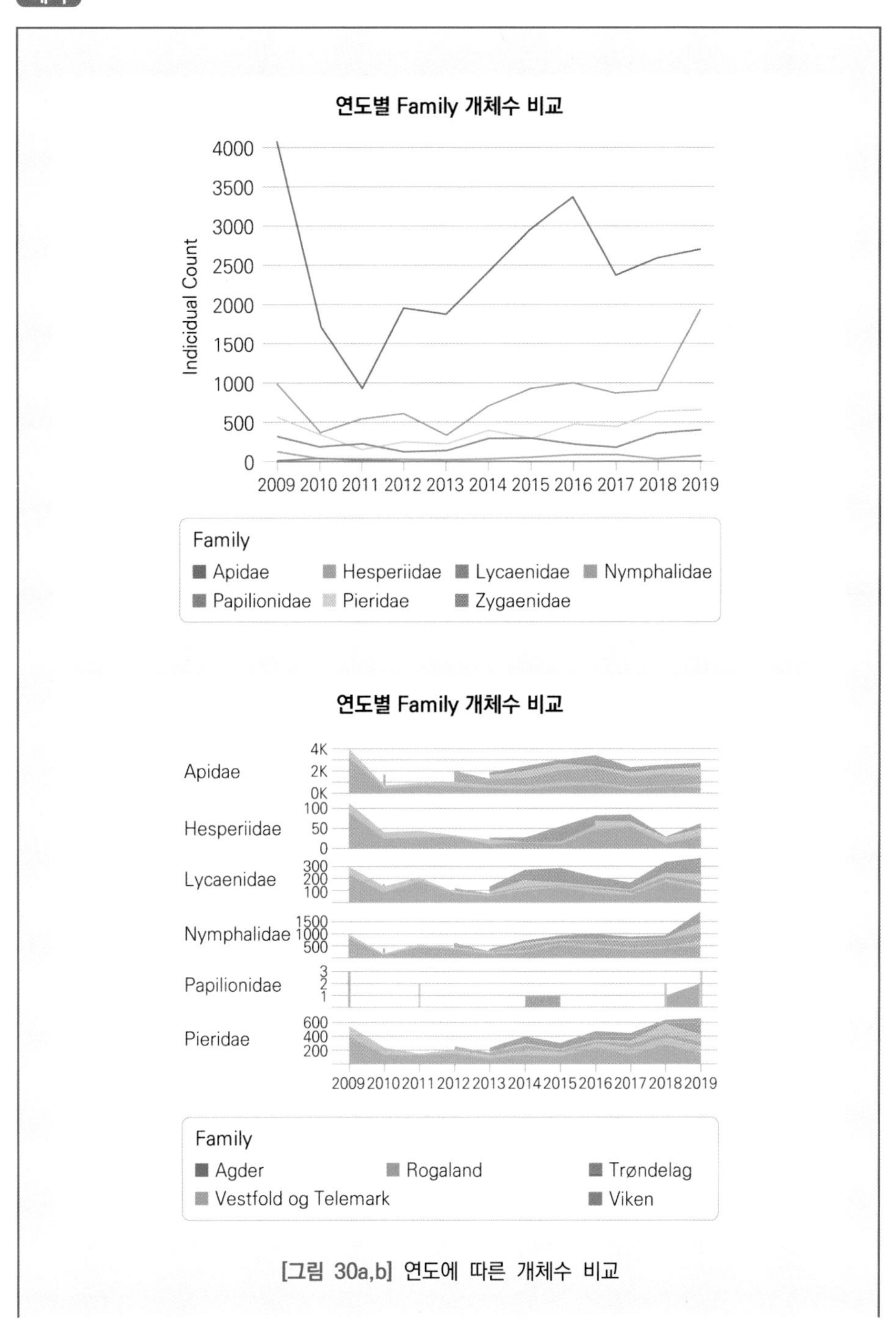

[그림 30a,b] 연도에 따른 개체수 비교

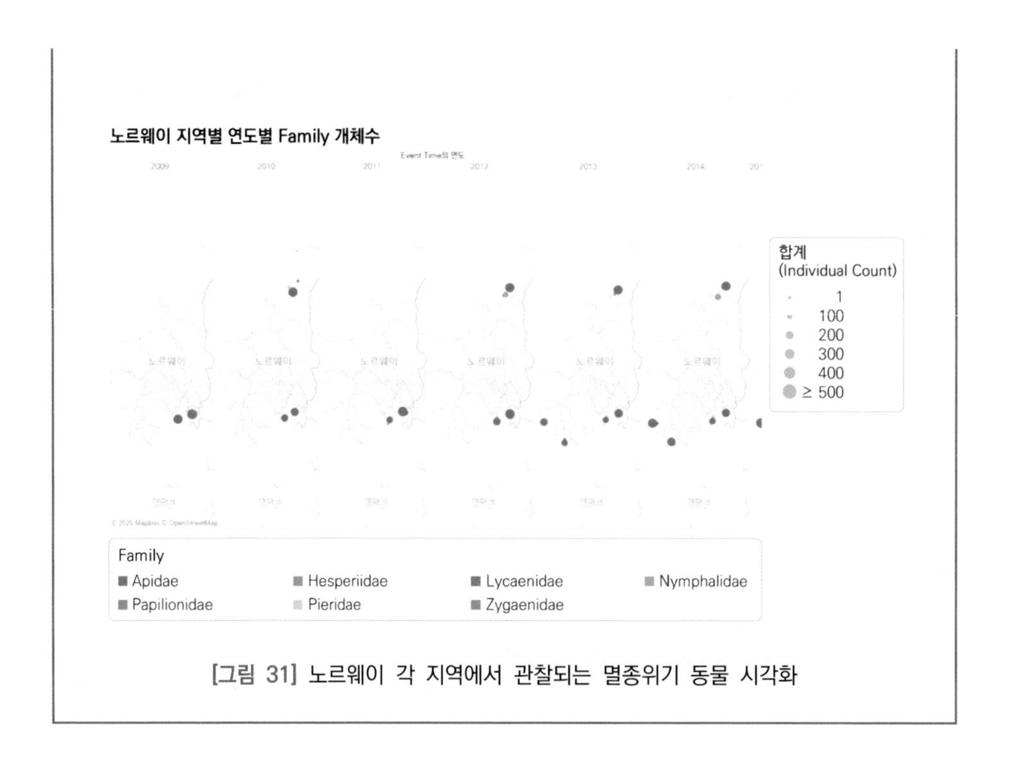

[그림 31] 노르웨이 각 지역에서 관찰되는 멸종위기 동물 시각화

(5) 실행결과 평가하기 워크북 4-⑤

쟁점해결의 마지막 단계는 실행결과를 평가하는 것이다. 여기서의 평가는 실행결과를 분석하고 개선점을 도출하는 데 가장 큰 목적이 있다. 4단계에서 계획을 세우고 수행하는 데에만 집중하다 보면 반성을 등한시하고 넘어가기도 한다. 4단계에서 수행한 내용을 반성해보면서 5단계에서 사회적 실천을 위해 할 수 있는 부분이 무엇이며, 어떠한 방식으로 실천할 지에 대한 아이디어가 나올 수 있다. 따라서 실행한 결과를 어떻게 활용할 수 있을지 논의해 보고, 실행결과가 실천을 위한 기본 데이터로서 의미가 있는지 또는 방법이나 수단으로서 의미가 있는지를 돌아보면서 사회적 실천으로 옮길 방법을 고민해보아야 한다.

만약 실행결과가 사회적 실천을 하는 데 제한이 있더라도 있는 결과를 활용하여 작은 방법이라도 모색해보길 바란다. ENACT 프로젝트를 진행하는 과정에 대한 시간에 다소 제약이 있다면, 우리의 실행결과가 실천의 근거가 되지 못하는 이유를 분석해보고, 그 이유를 해결하는 방향으로 논의를 이끌어가며 실천 기획을 할 수도 있다.

ENACT 프로젝트 5단계: 사회적 실천

1. 단계 설명

ENACT 프로젝트의 마지막 단계는 사회적 실천이다. 그동안 ENACT 프로젝트에서 수행했던 결과물을 우리만 공유하는 것이 아니라 다시 사회로 환원하는 과정이라고 할 수 있다. 즉, 도출한 해결 방안을 동료나 지역사회와 공유하고, 지속가능한 사회발전을 위해 다양한 방식으로 참여하고 실천하는 단계이다. 참여와 실천의 경험은 학생들이 과학기술과 관련된 사회적 책임에 대해 반성적 고찰을 하게 되는 기회를 제공할 수 있다. 따라서 다양한 사회적 실천 방법과 사례를 알고, 작은 실천이라도 실행에 옮겨볼 필요가 있다.

실천도 말은 쉽게 할 수 있지만, 실제로 수행하는 것은 쉽지 않다. 많은 실천 방안들이 SNS를 위한 홍보로 끝나는 경우가 많다. 물론 SNS를 통한 홍보도 정말 좋은 방법이고, 만약 누군가가 SNS를 통해 알려진 우리의 실천 방안을 보고 실천하게 된다면 더없이 좋은 소스가 될 수 있다. 다만 조금 더 적극적으로 실천할 수 있는 방안을 기획해볼 수도 있다. 창의적인 아이디어를 함께 내보자. 사회적 실천 단계는 [그림 32]와 같은 순서로 진행된다.

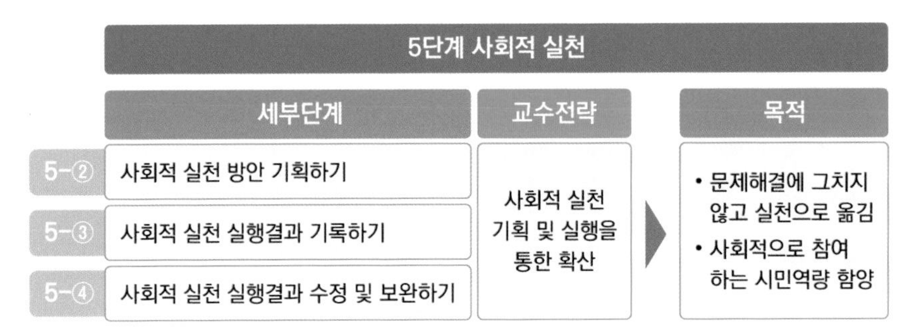

[그림 32] 5단계 사회적 실천의 개요

2. 사회적 실천의 과정

사회적 실천의 방법은 다양하다. 도출한 해결 방안을 지역사회 주민들과 함께 실행해보는 것도 좋고, 유튜브나 브로슈어 등을 제작해 보다 많은 사람에게 홍보하는 방법도 있다. 필요하다면 관련 정책을 만드는 데 의견을 제안할 수도 있다. 본인의 전문성을 활용해서 관심 있는 시민들을 위한 교육활동에도 참여할 수 있으며, 친구들과 문제해결을 위한 챌린지를 이어나갈 수도 있다. 너무 큰 실천이 아니어도 좋다. 작은 실천이라도 해나가는 경험이 쌓이면 열매를 기대해볼 수 있다.

(1) 사회적 실천 방안 기획하기 워크북 5-①

사회적 실천은 다양한 방식으로 기획해볼 수 있다. 4단계에서 제작한 프로토타입을 적용해보거나 상품으로 출시해서 실제 상용화 해볼 수 있다. 연구한 결과를 교내외 학술대회에서 발표하거나 동료나 지역주민 등을 대상으로 나눌 수 있으며, SNS나 영상을 통해 공유하고 확산하는 방법도 있다. 직접 캠페인이나 플래시몹(Flashmob)을 시도해 볼 수도 있다. 또는 연구결과를 바탕으로 관련된 기관이나 기업 등에 의견을 제시하는 방법도 있다. 다음 ENACT 프로젝트 실천 사례 및 기타 사례들을 참고로, 본인이 할 수 있는 사회적 실천의 방법을 생각하고 실행에 옮겨보자.

사례1. 쟁점해결을 위한 적정기술 공유와 확산

4단계에서 소개한 방글라데시의 농업 용수에 비소 오염 상황을 새로운 기술로 해결해보고자 시도하거나, 머니메이커 개선으로 농업 용수 공급과 중금속 오염을 해결하고자 시도한 사례는 적정기술의 공유와 확산의 대표적인 예이다. 적정기술을 일반적으로 착한 기술, 따뜻한 기술이라고 좋은 의미로 표현하기도 하지만, 간혹 어떤 사람들은 쉬운 기술, 편하게 만들 수 있는 기술이라고 표현하기도 한다. 이것 역시 좋은 의미의 표현이기도 하지만, 반대로 폄하하는 표현으로 쓰기도 한다. 하지만 실제로 적정기술의 개발과정은 굉장히 어렵고 심도있는 고민에서 드러나며, 재원과 환경이 넉넉한 상태에서의 첨단기술보다 더 어렵고 제한이 많은 기술이기도 하다. 4단계 아이디어 선정과정에서 이야기했던 제한이 많지만 장점을 부각시킬 수 있는 기술로 개발되는 것들이 적정기술이며, 적정기술은 그 기술 자체의 독창성을 기준으로 특허나 논문을 쓰기보다는 필요한 사람들이 많이 사용할 수 있게 정보를 공개하여 알리고 실제로 사용해보는 것에 집중한다.

최근에는 github를 기반으로 디지털 소스들이 많이 공유되고 있으며, 일반적인 개발 소스, 개발 과정 및 방법이 서로 공개적으로 공유하는 방식을 많이 볼 수 있다. 우리가 4단계에서 해결한 문제에 대해 공유하고, 그 문제를 해결하고자 했던 이유, 이 해결방안이 풀어나간 쟁점과 그 문제, 그리고 문제해결방법을 잘 공유하여 필요한 곳에서 사용될 수 있게 소스를 공개해보는 것은 어떨까?

사례2. 문제의식 공유 및 확산

'지구 살리기 프로젝트'라는 이름으로 기후변화 해결책으로 플로깅 운동 실천하기, 샤워 10분 이내로 하기, 안 읽은 이메일, 스팸메일함 비우기 등을 실천하자는 운동을 한 경우도 있다. 특히 플로깅이나 샤워의 시간 조정을 위해 2곡의 노래를 써서 지구에 대한 애착을 높이도록 하였는데, 이러한 사회적 실천을 위한 산출물 제작은 독특한 실천 제안 방법이다. 이러한 방법을 적용한 계기는 세 가지 방법을 4단계에서 도출해서 그 실행방법을 더 많은 사람이 잘 할 수 있는 방법으로 제안된 것으로, 많은 사람들에게 지구를 사랑하는 마음을 가지도록 권하는 가사에 곡을 붙여 현재 정식 음원으로 출원되었다.

예시

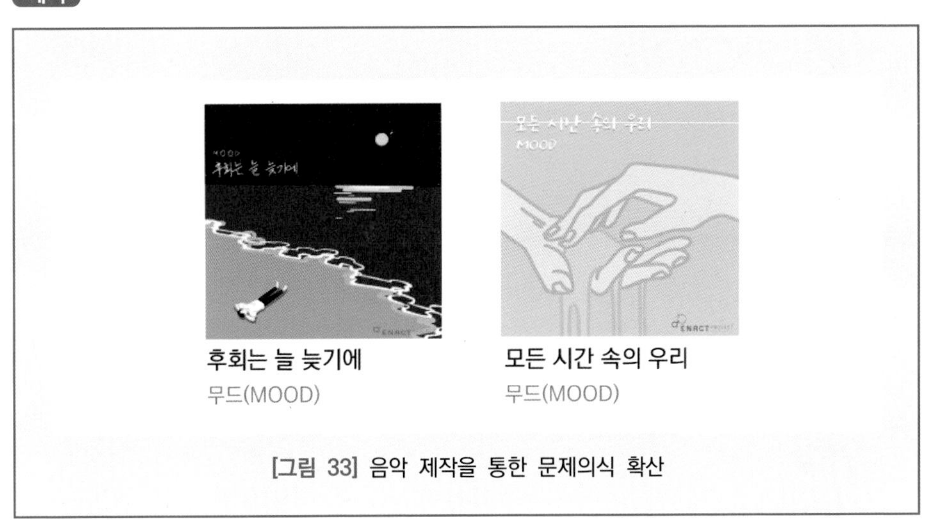

[그림 33] 음악 제작을 통한 문제의식 확산

사례3. 온라인을 통한 홍보

대부분 가장 많이 수행하는 사회적 실천이 다른 사람들에게 알리고 홍보하는 기획이다. 카드뉴스 만들기, 온라인 영상 만들기 등을 통해 우리 그룹의 생각을 사람들과 나누는 활동을 많이 하고 있다. 학생들은 대체로 카드뉴스를 만들어 인스타그램 혹은 페이스북 등의 SNS에 올리고, 댓글을 통해 주제에 대한 반응을 보고 댓글에 대한 댓글을 통해 논의를 진행하기도 한다. 참고로 카드뉴스는 망고보드나 미리캔버스 같은 저작권 무료 이미지 사용 웹사이트를 이용하면 어렵지 않게 제작할 수도 있다.

예시

[그림 34] 생리대 속 접착제를 알리기 위한 카드뉴스

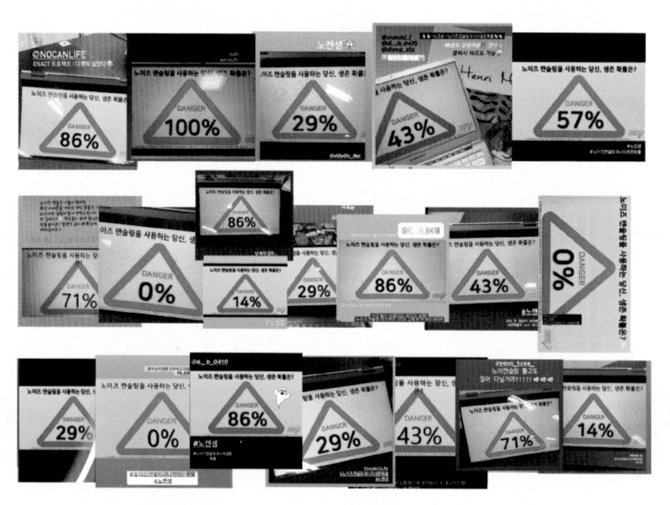

[그림 35] 노이즈캔슬링 이어폰의 필수위험소음 차단에 대한 실험결과 및 해시태그 챌린지

사례4. 관련 기업 및 기관에 해결방안 제안

폐플라스틱으로 인한 쟁점을 살펴보면서 재활용 및 분리수거 방안에 대한 실행방법을 세우고, 이를 사회적 확산과 실천으로 연결 짓는 과정에서 분리수거 표기에 오류가 있는 제품을 찾아내었다. 커피 음료 본체에 인쇄된 리드의 플라스틱 재질과 리드 자체에 각인된 재질이 다르다는 점을 확인한 학생들은 해당 제품을 생산하는 기업에 분리수거 표기 오류에 대해 문의하고 개선할 것을 요청하였다. 실제로 기업에서는 해당 제품에 각인된 플라스틱 분리수거 표기에 대해 개선해보겠다는 응답을 보내왔다.

예시

[그림 36] 본체에 인쇄된 리드의 플라스틱 재질과 리드에 각인된 재질이 다름을 발견

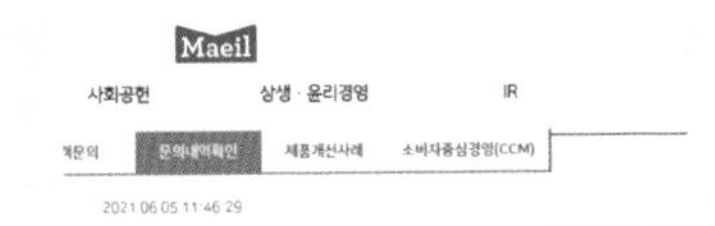

저희 [마이카페라떼]의 리드(상단 캡뚜껑 안쪽 용기에 붙어있는 포장재)는 속뚜껑을 의미하는 것으로 알루미늄 재질로 분리수거 표기법상 OTHER 로 표기 하고 있습니다.
따라서 말씀하신 "페트"라고 각인 되어 있는 부분은 리드가 아닌 캡뚜껑으로 리드를 제거한 용기와 함께 플라스틱으로 분리 배출해주세요.

분리 수거 표기 사항에 대한 소비자 혼동의 여지가 있는 것으로 생각되며 해당 내용은 담당부서로 전달하여 개선 검토될 수 있도록 하겠습니다.

'페트'라는 글씨가 정확히 보이지 않음!

[그림 37] 기업에 문제제기 및 개선검토 의견 수렴

최근 강조되고 있는 ESG(Environmental Social and Governance) 경영은 기업이 그가 속한 지역사회와 주변 이해관계자들과 공생하면서 운영되어야 한다는 CSR(Corporate Social Responsibility)에 근거해 제안된 것이다. 환경운동가들은 탄소배출의 심각성을 고려하지 않고 화력발전소를 건립하는 등 ESG 경영의식을 위배하는 기업을 규탄하고, 이에 대응하는 행동을 하기도 한다. ESG 공시는 의무화되어가고 있으며, 소비자들에게도 이러한 ESG 경영이 제대로 이루어지지 않는 기업에 대한 평가가 내려지고 있는 중이다.

그러므로 프로젝트 결과물로 실제 해결방안을 수행하지 않고 있거나, 부족한 기업이나 기관의 담당부서에 직접 제안서를 보내는 것도 효과가 있다. 다만, 근거없는 질타가 되지 않도록 4단계 실행에서 더 좋은 아이디어 프로토타입을 잘 도출해보고 제안하는 방식이 보다 바람직하다.

사례5. 미래세대를 위한 교육자료 개발

ENACT 프로젝트가 근본적으로 이뤄나가고자 하는 사회는 지속가능한 발전이 이루어지는 사회이다. 지속가능한 발전은 우리 세대에 필요한 발전이 이뤄지면서도 미래세대에게 필수적인 구성요소들을 해치지 않고 보전하는 방향을 강조한다. 물론 현재 시기에 중심이 되는 청장년들이 지속가능한 발전을 위해 노력한다 하더라도, 미래세대인 여러분의 동생, 조카, 자녀 세대에 어떤 일이 일어날지는 알 수 없다. 따라서 그들 스스로 지속가능발전에 대해 생각하고 고민하며, 이러한 쟁점들을 타개할 수 있는 방법을 고민하도록 해야 한다.

예시

생리대 접착제의 유해성을 알리기 위해 학생들은 OO여자중학교를 방문하였다. 먼저 생리대 속의 다양한 화학물질을 설명하고, 생리대에 화학 접착제가 어떠한 용도로 쓰이는 지 알아보았다. 그리고 이해관계자 지도를 그려보고 실제로 모의 협상을 진행하는 등 교육세미나를 제공하였다. 즉, 학생들이 생리대 접착제의 유해성을 인지하고 마무리하는 것이 아니라, 지역사회 및 대중에게 널리 알리고 교육하는 형태로 사회적 실천을 수행할 수 있었다.

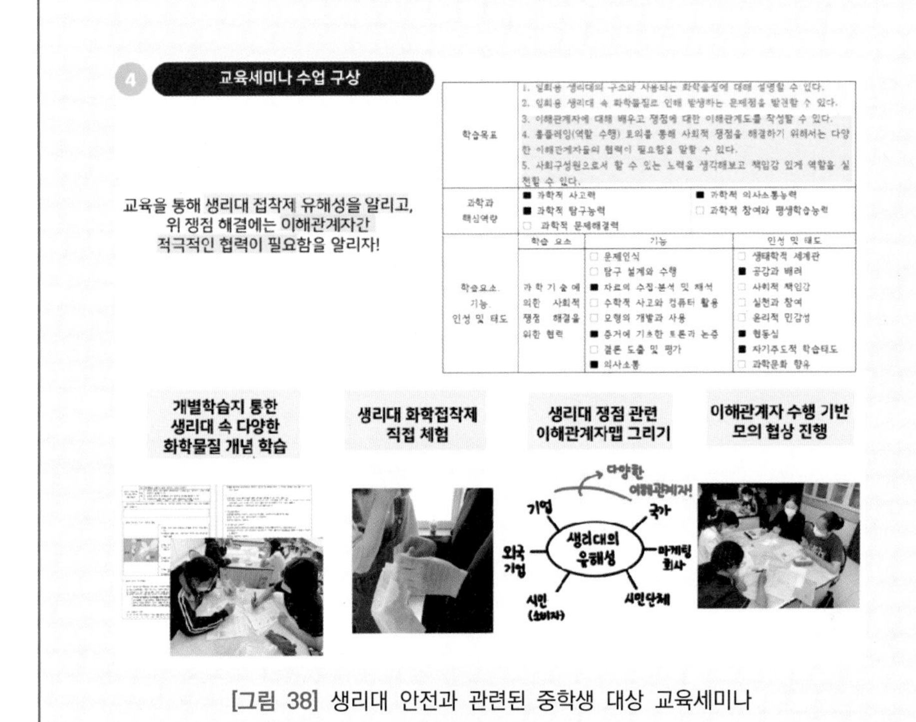

[그림 38] 생리대 안전과 관련된 중학생 대상 교육세미나

실천의 대상은 청장년에만 해당되는 것이 아니라, 그보다 어린 청소년 혹은 어린이들이 될 수 있다. 교육적 효과가 높은 여러 가지 프로그램을 구성하여 어린 학생들이 해당 쟁점이 얼마나 미래를 위해 중요한 것인지 알도록 하는 것도 효과적인 실천 방안이다.

사례6. 문제해결을 위한 정책 제안

폐기물이 해외로 불법 수출되거나, 국내에서도 쓰레기 처리에 대한 적법한 관리가 되지 않는 것에 대한 관심을 가지고 문제를 제기한 학생그룹은 새로운 정책을 제안함으로써 문제 해결을 위한 실천 방안을 제시하였다. 학생들은 환경부와 한국환경공단에서 운영하는 폐기물적법처리시스템인 Allbaro 웹사이트에 새로운 기술을 도입하여 개선하는 정책으로, 하이테크 휴지통 시스템과 RFID 센서 데이터를 통한 폐기물 관리 시스템을 제안하였다. 또한 해외로 불법 수출되는 전자폐기물 문제를 애플리케이션 신고체계 구축 등을 통해 해결하는 다양한 정책을 제안하였다.

예시

[그림 39] 폐기물 관리 시스템 제안

청소년 정책 제안이라고 하니, 어떤 대학생들은 '나는 이미 청소년이 아닌데?'라고 생각할 수 있다. 그러나 대한민국 청소년 기준은 만 9세부터 만 24세까지이므로 꽤 넓은 수준의 나이대에 있는 사람들이 청소년 정책참여를 할 수 있다. 초등학교 3학년부터 대학을 졸업한 사회 초년생까지도 가능하니 말이다. 물론 이 나이대에 속하지 않더라도 신문고 혹은 국민의 소리 등을 통해 정책을 제안할 수 있다.

[그림 40] 청소년 정책제안 Y-Change(출처: https://www.youth.go.kr/ywith/index.do)

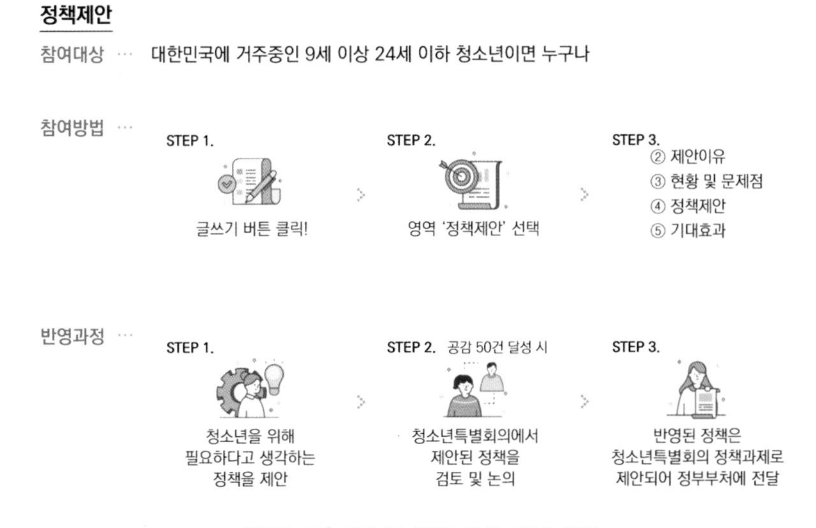

[그림 41] 청소년 정책 참여 안내 화면

(2) 사회적 실천 실행결과 기록하기 워크북 5-②

4단계에서 수행한 문제해결 방법을 5단계에서 공개·공유해보거나 제안해보는 것에서 끝내는 것이 아니라, 새로운 반성을 위해 실천 수행결과를 돌아볼 필요가 있다. 사회적 실천에서 가장 많이 하는 것이 카드 뉴스 등을 통한 온라인 홍보이다. 온라인 홍보자료에 달리는 댓글과 논의를 기록하여 얼마나 성과가 있었는 지 살펴볼 수도 있다.

앞에 소개한 음원을 제작한 지구살리기 프로젝트 조원들은 2주간 주변 사람들에게 운동에 참여하도록 권장하고 그 후기를 설문조사를 통해 받기도 하였다. 실제로 샤워시간을 측정하여 매일 샤워시간을 줄이도록 하거나, 이메일함에서 삭제하지 않고 두었던 메일을 삭제하기, 플로깅 하루에 하는 시간을 매일 늘려나가기 등을 진행하였다.

정책을 제안하거나 기업에 직접 투서한 경우, 담당자의 응답을 받기도 한다. GMO 식품에 대해 고민하다가 담당 기업에 문의를 넣은 경우, 포장재와 플라스틱 문제에 대해 고민하다 투서를 넣은 경우 대다수 담당자에게 회신을 받았으며, 일반 고객들이 혼란을 느끼지 않게 대처하는 수정방안을 제시하거나, 필요한 개선이 실제로 이뤄지기도 하였다.

(3) 사회적 실천 실행결과 수정 및 보완하기 워크북 5-③

실천의 경험 자체가 중요하지만 한 번 경험했으니까 '이제 끝났다!'라는 마음으로 카드뉴스를 올린 SNS를 닫거나 '이만하면 됐다'는 생각은 하지 않길 바란다. 많은 학생 그룹이 프로젝트를 수행한 학기가 끝나고 나면, 그 결과를 지속적으로 활용하지 않고 마무리하는 경우가 많다. 결과가 좋은 프로젝트의 산출물뿐만 아니라 모든 프로젝트의 산출물을 지속적으로 운영해 나가길 바란다.

이 과정에서는 실천 과정에서 받은 조언이나 피드백 등을 토대로 수정과 보완을 할 필요가 있다. 특히 프로토타입 설계로 4단계를 수행하고 이를 활용해보는 실천을 한 그룹은 프로토타입을 수정하고 실제로 생산하거나 더 상위 그룹의 모임에서 발제를 하는 방식도 권장한다.

예시

> 외래 식물로 인한 생물다양성 감소를 쟁점으로 정한 학생들은 티쳐블 머신이라는 인공지능 모델을 이용하여 외래 식물과 토착종을 구분하고, 시민들과 함께 정보를 수집해보여 캠퍼스 생태지도를 만드는 사회적 실천을 수행하였다. 이 과정에서 시민들의 정보수집 결과를 반영하고자, 사람들이 촬영한 식물 사진과 티쳐블 머신의 판별결과 등을 함께 수집하였는데, 다양한 시민이 참여하는 만큼 잘못된 정보나 인공지능이 잘못된 판별을 하는 경우가 있음을 발견하였다. 이 과정에서 게시되는 정보를 수정하고 이를 티쳐블 머신에 재차 반영하면서 캠퍼스 생태지도를 지속적으로 수정하였고, 최종적으로 학교 캠퍼스 지도 위에 학생과 시민들이 찍어 올린 사진들의 위치를 확인해서 생태지도를 완성하였다.

예시

> 방글라데시 락삼 지역의 지하수 비소 오염 문제를 해결하기 위해 적정기술을 이용한 학생들은 본인들이 제작한 정화공이 현지에 적용될 수 있도록 배합비율과 관련된 보다 자세한 연구를 진행하고 있다. 또한 방글라데시 대학과의 협업을 통해 해당 프로젝트를 지속해나감으로써 일회성에 그친 사회적 실천이 아니라, 지속적으로 수정하고 보완하면서 실천을 확대해나가는 모습을 보이고 있다.

CHAPTER

04

ENACT 프로젝트 수행 사례

ENACT PROJECT

SECTION 01 **ENACT 사례1.** 외래 식물 유입에 의한 생물 다양성 감소

SECTION 02 **ENACT 사례2.** 방글라데시 락삼 지역 지하수 비소 오염 해결

SECTION 03 **ENACT 사례3.** 교통 약자를 위한 전기운동수단의 안전한 이용

SECTION 04 **ENACT 사례4.** 노이즈 캔슬링, 안전한가?

SECTION 05 기타 사례

SECTION 01

ENACT 사례1. 외래 식물 유입에 의한 생물 다양성 감소

[그림 42] 가시박

외래 식물은 우리나라의 토종 식물이 아닌 외국에서 들어온 모든 식물을 일컬으며, 외래 식물 중 우리나라에 들어와 야생상태에서 스스로 번식하고 살아가게 된 식물을 '귀화식물'이라고 부른다. 귀화식물의 대표적인 특징은 바로 번식력과 자생력이 뛰어나다는 점이다. 그래서 일부 귀화식물은 생태계를 교란시켜 우리나라 토착종을 위협하고 있다.

서울시는 생태계를 교란시키는 6개의 외래 식물을 지정했다. 그 중 하나는 북아메리카 지역에서 유입된 가시박(Sicyos angulatus)이다. 가시박은 한 여름에는 덩굴이 하루에 30cm 이상 자랄 정도로 생육이 빠르고 생육면적도 넓다. 높은 나무는 감아 타고 올라가 영양분을 뺏어 시들게 하고, 키 작은 식물들은 덮어버려 햇빛을 차단하여 죽게 만든다. 또한 씨앗을 많이 맺을 뿐만 아니라 씨앗이 강을 따라 이동하기 때문에 번식을 막기가 어렵다. 따라서 가시박과 같은 외래 식물은 지속적으로 관심을 갖고 제거하며 관리해야 할 필요가 있다.

외래 식물이 생태계에 미치는 영향은 매우 심각한 수준이지만, 외래 식물에 대한 일반인의 관심과 걱정은 높지 않다. 외래종은 우리나라 토착종을 밀어내고 기존 생태계의 우위를 차지하고 있어 생물 다양성 감소에 직접적인 영향을 준다. 생물 다양성의 감소는 결국 인간이 환경과 더불어 살아가는 데에도 영향을 줄 수밖에 없다. 학생들은 이러한 문제의식을 갖고, 외래 식물에 대한 일반인들의 관심과 이해를 높이기 위해 ENACT 프로젝트를 시작하였다. "외래 식물 유입에 의한 생물 다양성 감소" ENACT 프로젝트는 다음과 같은 순서로 진행되었다.

[1단계] 쟁점발견

모둠원들은 외래종과 관련된 본인의 경험을 이야기하는 것부터 시작했다. 한 모둠원은 집 근처 저수지에 외래종 연잎의 개체수가 너무 늘어나 가족과 함께 제거해본 경험을 이야기했고, 다른 모둠원은 매미나방이나 애벌레 같은 외래종을 잡으러 다니는 사람들에 대한 영상을 시청한 경험을 나누었다. 모둠원들은 함께 인터넷으로 외래 식물에 어떤 것들이 있는지, 외래

사례 1. 외래 식물 유입에 의한 생물 다양성 감소 ENACT 프로젝트

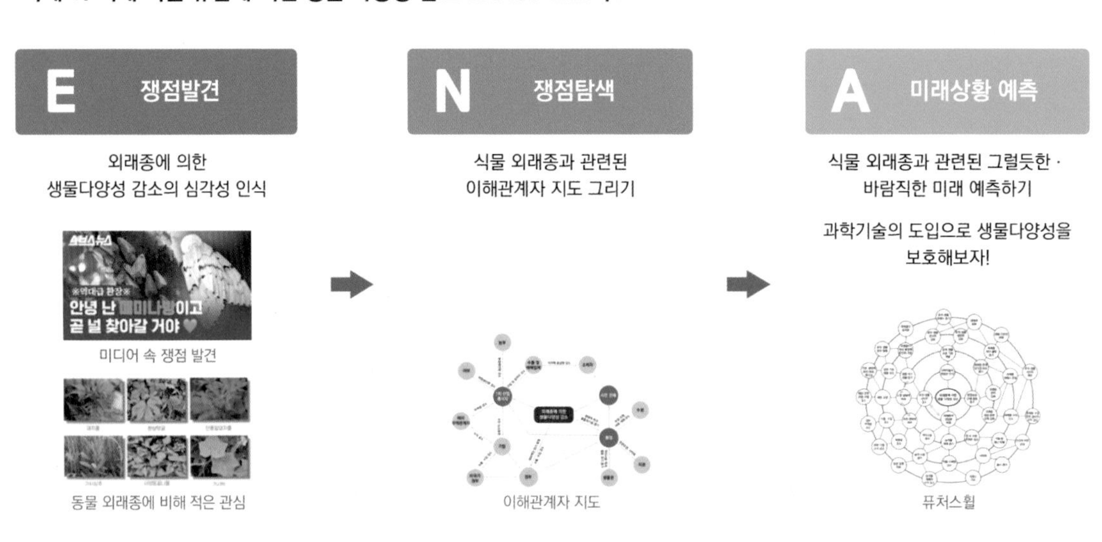

식물 중 귀화되어 우리나라 생태계를 교란시키는 종들에는 어떤 것들이 있는지 검색해보았다. 관련된 기사와 영상도 보면서 "외래종으로 인한 생태계 교란이 꽤 심각하구나!"라는 문제 의식도 점점 갖게 되었다.

주변 친구들에게 외래 식물에 대해 이야기해보니, 대부분 황소개구리나 뉴트리아와 같은 외국에서 유입된 동물들에 대해서는 알고 있었지만, 외래 식물에 대해서는 들어본 적이 없다고 말하는 경우가 많았다. 동물에 비해 식물 외래종에 대한 사람들의 관심이 훨씬 미흡하다는 것을 느꼈다. 모둠원들은 외래 식물 유입에 의한 생물 다양성 감소를 막기 위한 시발점은 외래 식물에 대해 관심을 갖게 만드는 것이라는 결론을 내렸다. 그래서 서울시가 지정한 여섯 가지 생태계 교란 식물종으로부터 시작하기로 했다.

C 과학 · 기술 · 공학적 쟁점해결

국내종과 외래종 11종 선정 및
이를 분류할 수 있는 인공지능 구현

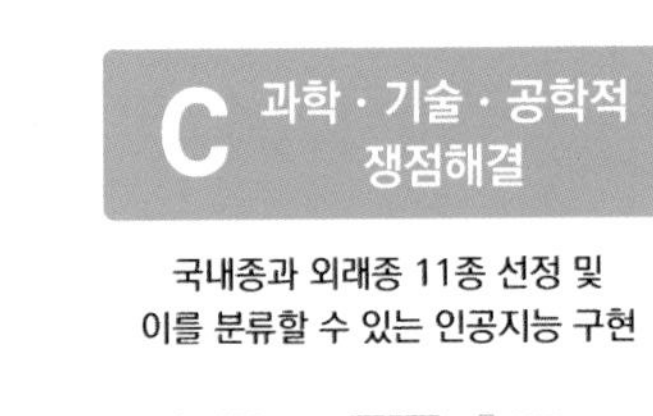

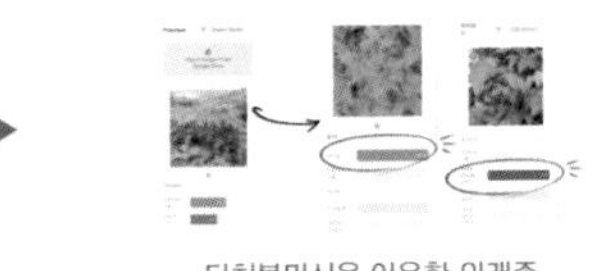

티쳐블머신을 이용한 외래종
분류 인공지능 구현

T 사회적 실천

브로슈어를 통한 공유 및 안내

시민과 함께 데이터를
수집하여 외래종 생태지도 제작

브로슈어 공유

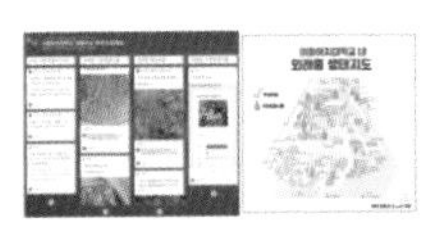

시민과 함께하는 실천

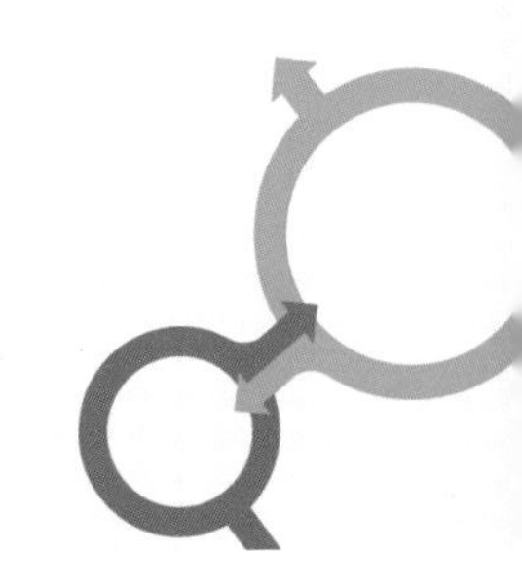

[그림 43] 서울시 지정 생태계 교란 식물종

[2단계] 쟁점탐색

외래 식물 유입으로 인한 생물 다양성 문제를 해결하기 위해서 가장 먼저 이 문제와 관련된 이해관계자들을 생각해보았다. 외래 식물의 유입 문제는 생태계뿐만 아니라 많은 농부, 기관, 정부, 일반인 등과도 연결되어 있다. 여러 이해관계자들과 그들 사이의 관계를 살펴보면 어떻게 외래 식물이 유입되었는지, 외래 식물로 인해 이해관계자들이 서로 어떤 영향을 주고받게 하는지, 외래 식물로 인한 문제가 왜 점점 더 심각해질 수밖에 없는지, 이 문제를 해결하려면 어떤 이해관계자들과 함께 노력해야 하는지 등을 파악할 수 있다.

먼저, 환경, 대중, 정부, 1차 산업 종사자를 크게 이해관계자 지도에 그려 넣고, 각 이해관계자로부터 꼬리에 꼬리를 물어 적어나갔다. 유입된 외래종에 의해 생물 다양성이 감소하면 직접적으로 관련 있는 1차 산업 종사자들이 경제적으로 큰 피해를 입을 수 있다. 그리고 1차 산업 종사자들이 받은 피해는 이들과 연결된 소비자와 판매 및 유통업자 모두에게 영향을 줄 수 있다. 나아가 지권, 수권, 생물권 등 생태계 전반에도 영향을 미쳐 생태계 파괴 위험과 환경오염 등의 문제를 초래한다는 것을 확인할 수 있었다. 생물 관련 무역을 하는 기업과 정부가 생물 종이나 개체 수 감소로 필요한 수입, 수출량 부족으로 경제적 타격을 받을 수 있다는 점도 이해관계자 지도에 표현해보았다. 모둠원들은 함께 이해관계자 지도를 그려나가면서 생물 다양성 감소가 여러 이해관계자 간 복잡하게 연결된 문제임을 인식하였다.

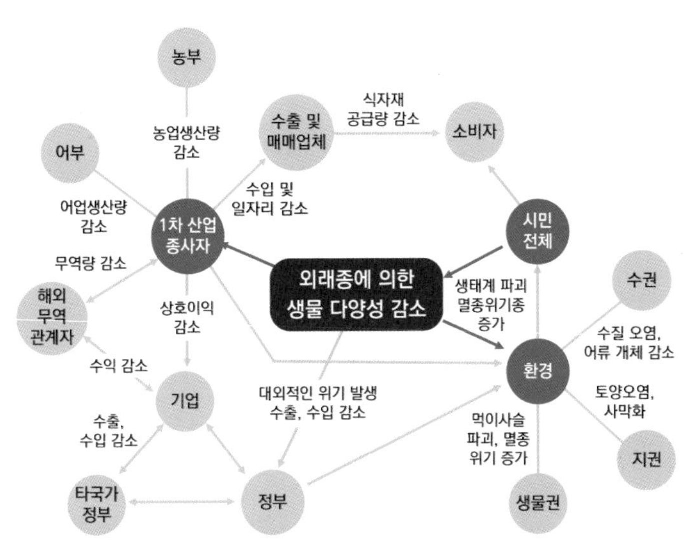

[그림 44] 생물 다양성 이해관계자 지도

[3단계] 미래상황 예측

외래 식물이 계속 늘어난다면 앞으로 10－20년 후에는 어떤 일이 벌어질까? 지금부터라도 생태계에 교란을 주는 외래 식물을 줄이기 위해 노력한다면 10－20년 후에는 어떤 변화가 나타날까? 모둠원들은 미래의 모습을 퓨처스휠을 활용하여 그려보았다.

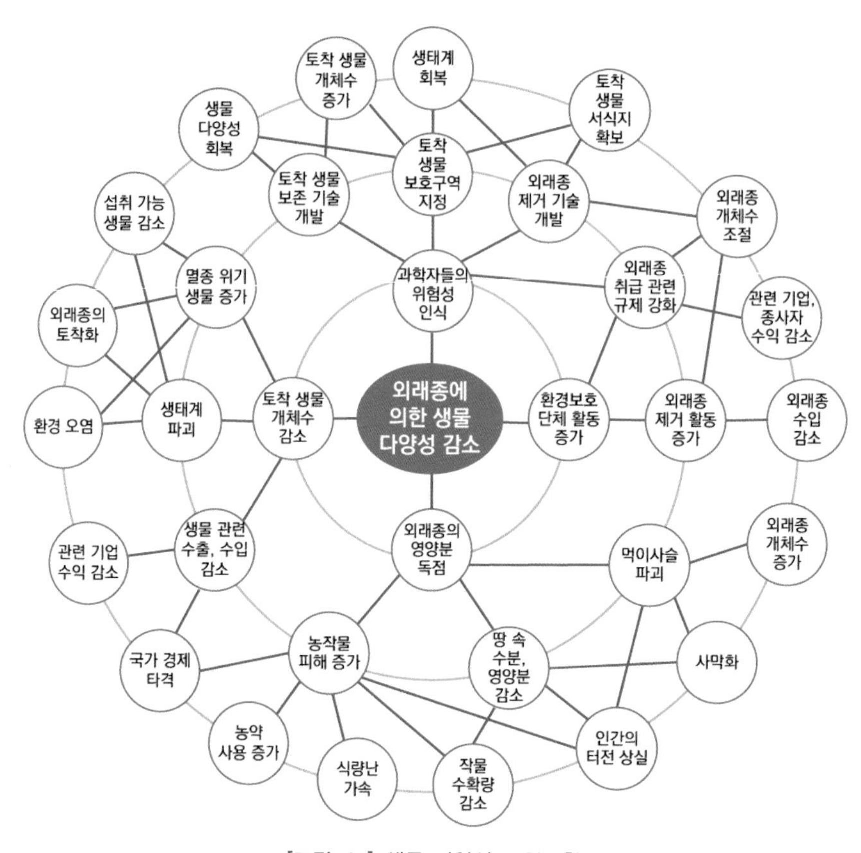

[그림 45] 생물 다양성 퓨처스휠

모둠원들은 1차적으로 땅 속 수분 감소, 수권 생태계 파괴 등의 미래 상황을 생각해냈고, 2차, 3차로 확산되면서 인간에게 미치는 영향들을 동그라미 안에 적어나갔다. 화살표를 이용해서 서로 영향을 주고받아 문제를 더 악화시키는 경우도 표시해보았다. 퓨처스휠을 완성한 뒤, 이를 바탕으로 다음과 같이 앞으로 벌어질 미래와 바람직한 미래에 대한 두 개의 시나리오를 작성해 보았다.

모둠원들은 시나리오에서 그려본 예상되는 미래와 바람직한 미래 사이의 차이를 줄일 수 있는 방법에는 어떤 것이 있을지 고민해 보았다. 머신러닝이나 빅데이터와 같은 첨단 기술을 이용하여 기존 생태계를 관리하는 방법도 있고, 생명공학기술을 이용하여 멸종 생태계를 복원하는 방법도 생각해보았다. 하지만, 지금 우리가 해볼 수 있는 작은 시작은 일반인들이 외래종을 식별할 수 있도록 교육하는 방법을 찾는 것이라고 생각했다. 모둠원의 전공(과학교육)을 살리면서 생태계를 보존할 수 있는 좋은 방안이 될 수 있을 것으로 생각했다.

[4단계] 과학 · 기술 · 공학적 쟁점해결

일반인들이 외래종을 식별할 수 있도록 교육하는 방법에는 무엇이 있을까? 많은 사람들이 외래 식물에 관심을 갖고 이를 제거하는 실천에 참여하도록 하는 방법은 없을까? 모둠원들은 외래 식물이 우리 주변에 얼마나 있는지 직접 찾아보기 위해 학교 캠퍼스와 동네 산자락을 돌아다녔다. 그러나 생각과 달리 외래종을 찾기가 쉽지 않았다. 더 심각한 문제는 외래 식물 사진을 옆에 두고 비교하면서 찾는다 하더라도 외래 식물과 유사하게 생긴 국내 식물을 구분하기 어렵다는 점이었다. 외래 식물에 관심이 낮은 비전공인들에게 생태계 교란을 막기 위해 식별이 힘든 외래 식물을 함께 찾아보자고 말로만 교육하는 것은 한계가 있을 수밖에 없다는 것을 깨달았다.

모둠원들은 비전문가가 외래종과 국내종을 쉽게 구분하기 어렵다는 점에 착안해서, 최근 소개된 '티쳐블머신'이라는 인공지능기반 앱을 활용해보기로 했다. 티쳐블머신은 사용자가 직접 데이터 클래스를 분류해 사진을 입력한 후 AI가 데이터를 학습하도록 하면, 새로운 데이터를 입력했을 때 분류해주는 AI 모형을 만들 수 있다. 무엇보다도 사용법이 쉽고 간단했다. 먼저 서울시 지정 생태계 교란 위해 식물종으로 선정된 여섯 가지 외래종인 가시박, 가시상추, 단풍잎돼지풀, 돼지풀, 환삼덩굴, 서양등골나물로부터 시작했다. 모둠원들은 인터넷 검색을 통해 각 외래 식물마다 사진 50-60장씩을 수집하였다. 그리고 티쳐블머신에 각 식물별 클래스를 만들고, 클래스에 수집한 사진을 업로드하여 학습시킨 후 식물을 분류하는 모델을 만들었다.

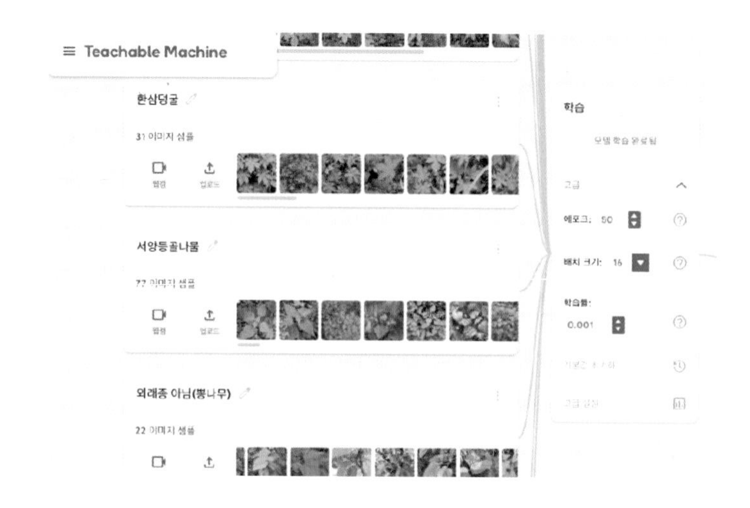

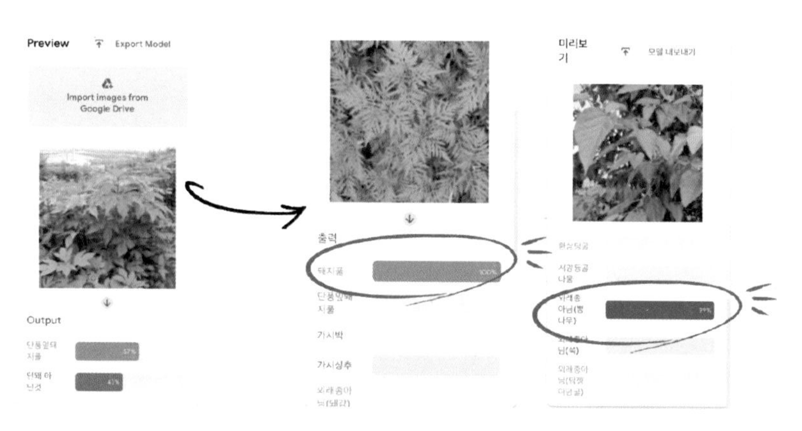

[그림 46a,b] 학생들이 만든 인공지능 모델(Teachable Machine 활용)

그런데 첫 번째 시도로 만든 AI 모델에 새로운 데이터를 넣었더니 외래종 6종과 전혀 다르게 생긴 국내종도 외래종으로 판별되는 오류가 계속 발생했다. 예를 들어, 깻잎은 외래종이 아님에도 기타로 분류되지 못하고 그나마 비슷한 형태를 가진 서양등골나물로 판별되었다. 이러한 문제를 해결하기 위해 외래종과 비슷하게 생긴 국내종 11개를 선정하였다. 새로운 클래스를 만들고 각 클래스에 60－100개 사이의 이미지 데이터를 입력해 학습시킨 후 유사하게 생긴 국내종을 식별해낼 수 있도록 보완해보았다. 또 학습에 사용된 데이터를 다시 검토해서 각 클래스에 보다 정확한 데이터가 입력되도록 했다. 사진을 추가함에 따라 달라지는 분류 비율을 지속적으로 체크하였으며 클래스에 잘못 입력된 사진이나 여러 식물이 동시에 나와 있는 사진 데이터는 삭제했다. 하나의 식물을 여러 각도에서 찍은 사진, 표본의 다양성을 위해 직접 찍은 사진도 추가해서 판별 프로그램의 정확성을 높이려고 노력한 결과, 점점 AI 모델의 분류 능력이 향상되는 것을 확인할 수 있었다.

[5단계] 사회적 실천

모둠원들은 인공지능 모델을 이용해서 다른 친구들과 생태지도를 만들어보면 좋겠다는 생각을 했다. 생태지도 프로젝트의 과정에 시민들이 함께 한다면 더 많은 외래종 데이터를 모을 수 있을 뿐만 아니라, 사람들에게 더욱 효과적으로 외래 식물 문제를 알릴 수 있을 것으로 생각했다. 그래서 '시민과학'의 아이디어를 도입했다. 주변 사람들이 시민과학자가 되어 AI 모델을 이용해 가까운 공원이나 산, 주변을 돌아다니며 함께 외래종을 찾고, 찾은 사진을 함께 공유하는 공간을 만들고 싶었다. 외래종을 찾아보는 작은 참여 경험이 외래종에 대한 사람들의 생각을 변화시키는 데 도움이 될 것이라고 믿었다. 그래서 다음과 같이 진행해 보기로 했다.

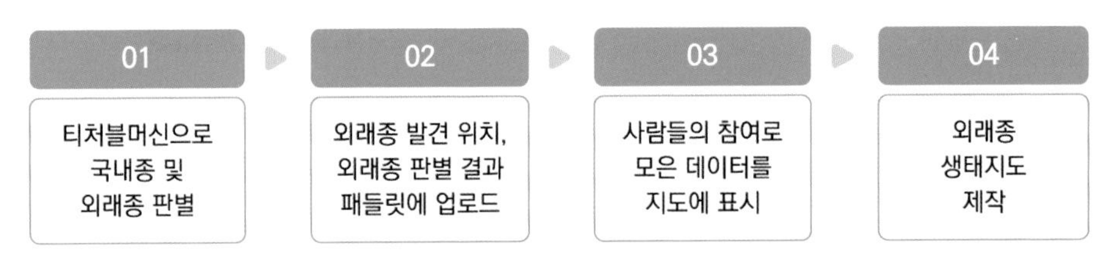

[그림 47] 시민과학 도입 생태지도 프로젝트 과정

[그림 48a,b] 학생들이 만든 브로슈어와 홍보활동

우선 프로젝트 참여 방법 및 QR코드, 티쳐블 머신에 대한 설명, 외래종 6종에 대한 설명, 외래종 발견 및 제거의 의의 등이 담긴 브로슈어를 작성해서 친구들에게 나눠주고, SNS를 통해 공유하였다. 프로젝트 참여를 원하는 친구들은 QR코드를 통해 AI 모델을 다운로드 받아 국내종 및 외래종을 판별해 보도록 했다.

그리고 발견한 외래 식물을 패들렛(padlet)에 업로드하도록 했다. 패들렛에 업로드할 때는 외래종의 사진, 발견한 위치, 티쳐블 머신상의 판별 결과를 함께 적어보도록 했다. 하지만 다양한 시민들이 참여하는 만큼 잘못된 정보가 올라오기도 하고, 티쳐블 머신 자체가 잘못된 판별을 하는 경우도 있었다. 이를 해결하기 위해 게시되는 정보를 모니터링하며 잘못된 정보를 정정하는 과정을 거쳤다. 프로젝트에 참여한 사람들을 대상으로 설문조사도 진행하였다. 설문 결과 이 작은 활동이 외래종으로 인한 생물 다양성 감소 문제에 관심을 가지게 되었고 심각성도 깨닫게 되었다는 긍정적인 피드백도 받았다.

[그림 49] 생태지도

모둠원들은 최종적으로 패들렛으로 수집한 정보를 모아 캠퍼스 생태 지도를 제작해 보았다. 캠퍼스에는 환삼덩굴과 서양등골나물이 많이 분포하고 있었다. 학교 캠퍼스 지도 위에 학생과 시민들이 찍어 올린 사진들의 위치를 확인해서 생태지도를 완성하였다. 지금은 캠퍼스 지도를 만드는 것부터 시작했지만, 모둠원들은 생태지도 프로젝트를 더 넓은 지역으로 확장해 나갈 계획이다. 시민들의 작은 관심과 참여로 완성되어가는 생태지도는 외래종에 대한 인식과 관심을 높이는 데 큰 기여를 할 수 있을 것이다.

ENACT 사례2. 방글라데시 락삼 지역 지하수 비소 오염 해결

식수는 인간이 살아가는 데 있어 필수적 요소이다. 우리가 마시고 있는 식수에 비소(As)와 같은 위험 물질이 섞여있다면 어떻게 해결해야 할까? 사실 식수에 비소가 포함되어 있다고 하더라도 냄새나 맛으로는 알아낼 수 없기 때문에 우리는 이 사실을 모른 채 마시게 될 수도 있다. 그러나 비소는 1급 발암물질로서 비소에 중독되면 초기에는 손발이 두꺼워지는 병변을 일으키고, 더 나아가 피부암, 폐암, 심혈관질환 등으로 이어져 사망까지 이어

사례 2. 방글라데시 락삼 지역 지하수 비소 오염 ENACT 프로젝트 진행 과정

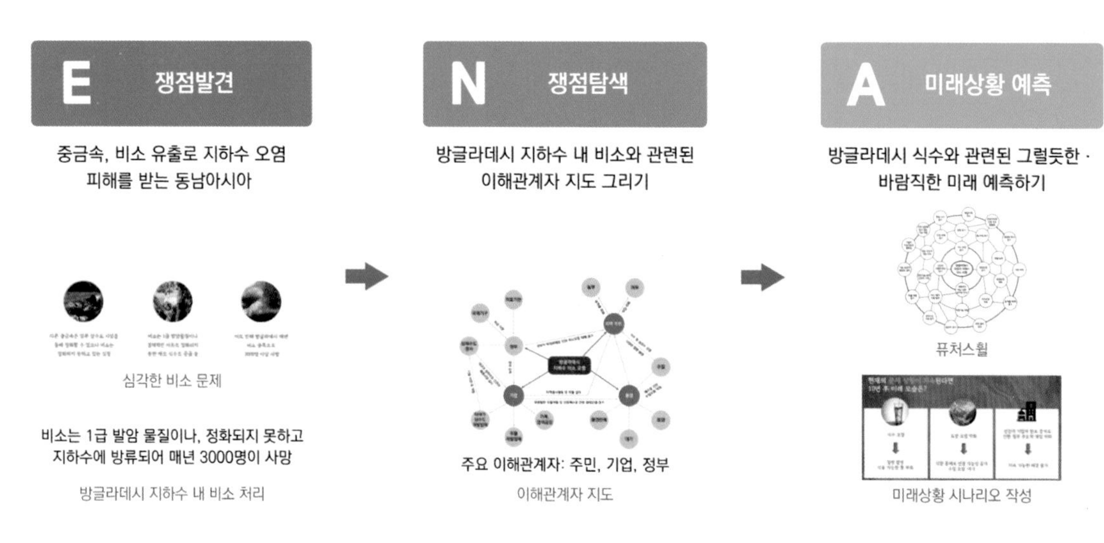

지는 상당히 위험한 물질이다.

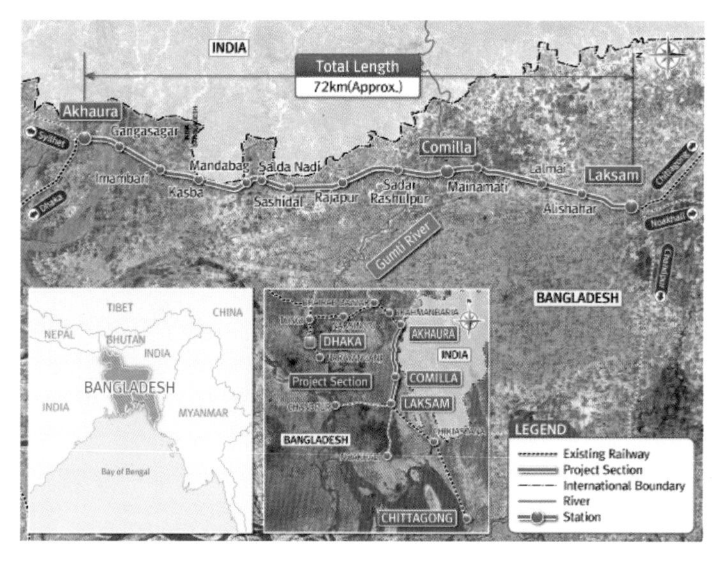

[그림 50] 방글라데시 락삼 지역

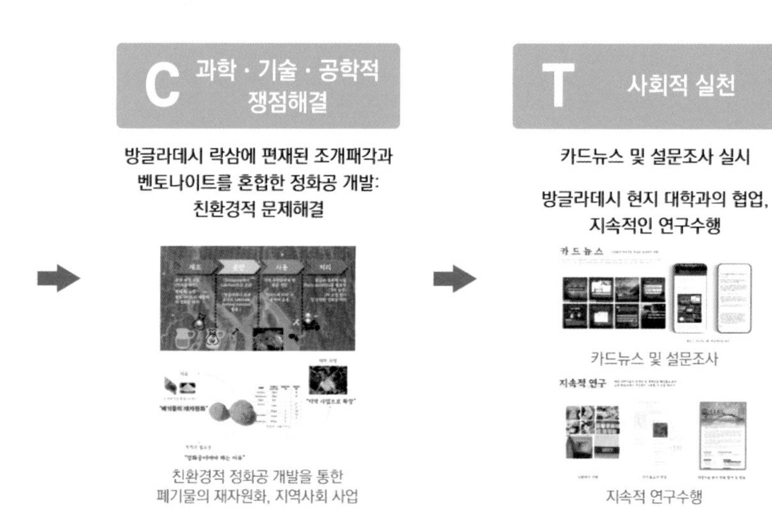

최근 방글라데시의 지하수에서 검출된 비소 농도는 300~400ppb에 달하고 있으며, 국민의 65%에 해당하는 8천만 명이 비소 중독위험에 노출되어 있다. 방글라데시의 수도인 다카에서 남동쪽으로 약 125km 떨어진 락삼이라는 지역의 수질 오염농도는 매우 심각하다. 방글라데시 지역의 식수 오염 문제를 놓고 전 세계 환경단체들도 지속적으로 논의하고 있지만, 그 대안이 뚜렷하지 않은 상황이다. 어떻게 하면, 이들을 비소 중독의 위험으로부터 벗어날 수 있도록 조금이라도 도와줄 수 있을까? 환경공학을 전공하는 모둠원들은 락삼지역 지하수의 비소 오염을 줄여 주민들에게 안전한 식수를 제공하고자 하는 취지로 다음 순서에 따라 ENACT 프로젝트를 진행하였다.

[1단계] 쟁점발견

방글라데시 락삼 지역 식수의 비소 오염 문제는 미디어를 통해 많이 보도되어 왔을 뿐만 아니라, 환경공학 전공자에게는 꼭 해결해보고 싶은 문제였다. 모둠원들은 왜 방글라데시 지역의 식수가 비소로 오염되게 되었는지 자료를 찾아보았다. 자료 조사 결과, 1970년대 초까지 방글라데시 어린이 25만 명은 오염된 물을 먹고 이질에 걸려 죽어갔다고 한다. 이를 해결하기 위해 UN은 막대한 재원을 들여 지하 20~100m 깊이의 우물을 1000만개 넘게 뚫었다. 그런데, 이 지역의 우물에서는 허용치에 400배에 달하는 비소가 검출되었다(우리나라 비소기준치: 0.05mg/L(50ppb), 미국과 WHO 기준: 10ppb). 정확한 역학조사가 어려워 원인을 파악하지는 못하고 있지만, 히말라야 산맥의 암석으로부터 유발된 것으로 볼 수 있다. 현재까지도 오염 문제가 계속되어 전체 인구의 약 13%가 비소에 오염된 물을 마시고 있는 실정이다. 세계 구호단체들이 빗물 여과기 등을 공급해서 우물을 대체할 수 있는 노력을 하고 있지만, 지역의 환경적·경제적 여건 때문에 쉽게 개선되지 않고 있다.

다른 중금속은 일부 상수도 시설을
통해 정화할 수 있으나 비소는
정화하지 못하고 있는 실정

비소는 1급 발암물질이나
경제적인 이유로 정화되지
못한 채로 식수로 공급 중

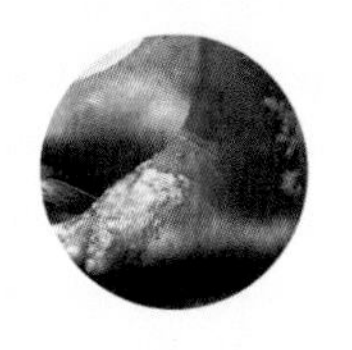

이로 인해 방글라데시 매년
비소 중독으로
3000명 이상 사망

[그림 51] 방글라데시 락삼 지역 식수의 비소 오염 문제 심각성

[2단계] 쟁점탐색

모둠원들은 지하수 비소 오염 문제를 해결하기 위해 방글라데시 식수 오염과 관련된 주요 이해관계자들을 살펴보았다. 락삼 지역 주민, 기업, 정부가 가장 중요한 이해관계자로 생각되었다. 주민들은 비소로 오염된 물을 직접 사용하고 마시는 주체로, 정부의 대책 부족으로 안전한 식수를 제공받지 못해 건강에 심각한 위협을 받고 있다. 기업은 주민들에게 깨끗한 식수 개발을 위한 노력(예: 우물개발, 정수 방법 개발 등)을 하고 있지만 충분한 효과를 거두지 못하고 있었으며, 정부는 경제적 상황으로 인해 비소 오염을 정화하는 상수도 처리 시설 마련에 소극적인 태도를 취하고 있었다. 이해관계자 지도를 그려가는 과정에서 이해관계자들이 서로 영향을 주고받음이 명확하게 보였다. 주민의 식수 문제 해결을 위한 기업의 무분별한 우물 개발은 오히려 식수 오염과 질병으로 번져 결국 주민들에게 피해를 안겨주었다. 정부의 소극적 대처에 대한 피해는 고스란히 주민에게 돌아갔다. 게다가 부패한 정치는 빈부격차를 심화시켰고, 상수도 시설 개수도 지역 간에 차이가 컸다. 이외에도 비소 오염은 주변 환경에도 영향을 주었다. 예를 들어, 지하수 오염은 농업에 영향을 주었으며, 그 지역에서 생산되는 농산물을 섭취하는 사람들에게까지 피해가 확산되어 갔다. 여러 구호단체들의 노력도 있었으나 이는 정부나 기업과 연결되어 있었으며, 관리 감독 및 제도

의 미흡과 정치적 불안정으로 인해 구호단체들의 노력이 큰 효과를 거두지 못하게 했다. 반면, 일부 기업들은 다양한 방식의 정수 시스템을 개발하여 식수를 생산하고 판매하여 수익을 창출하기도 했다. 그러나 빈부격차로 인해 가난한 사람들은 여전히 오염된 식수를 마실 수밖에 없었다. 이처럼 락삼 지역의 지하수 비소 오염 문제는 여러 이해관계자들이 가치가 복잡하게 얽혀있었다.

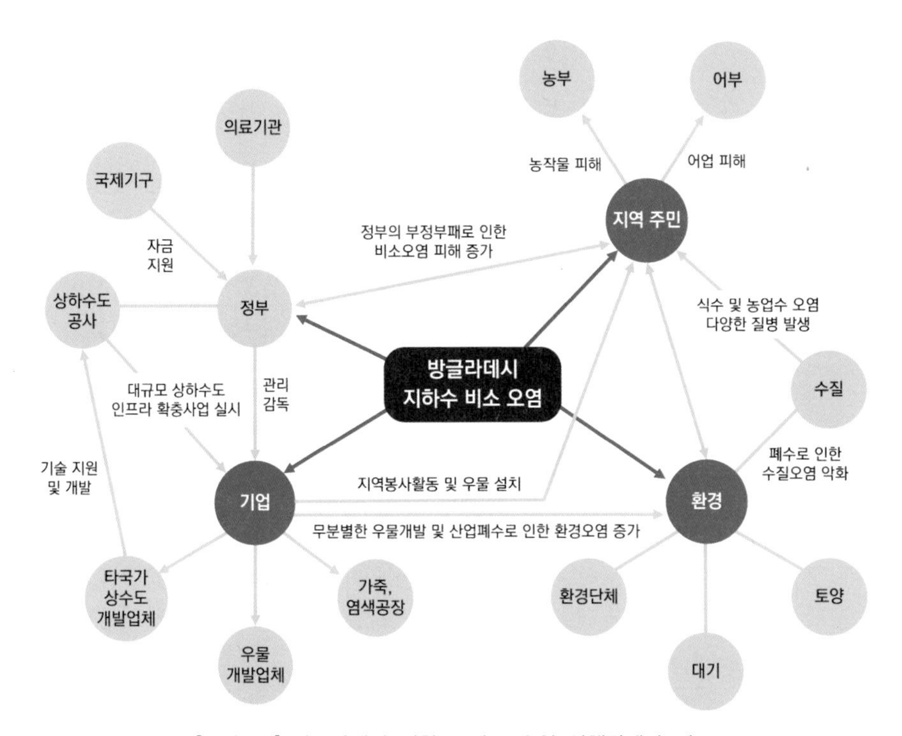

[그림 52] 방글라데시 지하수 비소 오염 이해관계자 지도

[3단계] 미래상황 예측

방글라데시 락삼 지역의 지하수 비소 오염이 계속된다면, 앞으로 10−20년 후 어떤 결과를 낳게 될까? 모둠원들은 퓨쳐스휠 위에 식수오염의 지속, 환경오염 증가, 선진국 기업의 원조 증가를 1차적으로 적었다. 2차적으로 비소로

인한 식수오염은 질병을 발생시키고 평균수명을 감소시켜 경제발달을 저하시킬 수 있다는 생각을 했다. 비소 오염으로 인한 환경오염이 증가한다면 수질, 대기, 토양이 오염되어 생태계가 파괴되고 생물 다양성이 감소할 수 있으며, 오염물질이 생물에 농축되어 식량이 부족해지는 결과까지 낳을 수 있다고 생각했다. 그리고 선진국 기업의 원조가 증가한다면 비소제거 기술 및 상하수도 시설이 발전할 수 있지만, 정부의 주도적 개입이 적어지면 오히려 지역 실정에 맞지 않는 기술이 보급되고 기술의 지속가능성이 감소할 수 있다는 생각도 들었다.

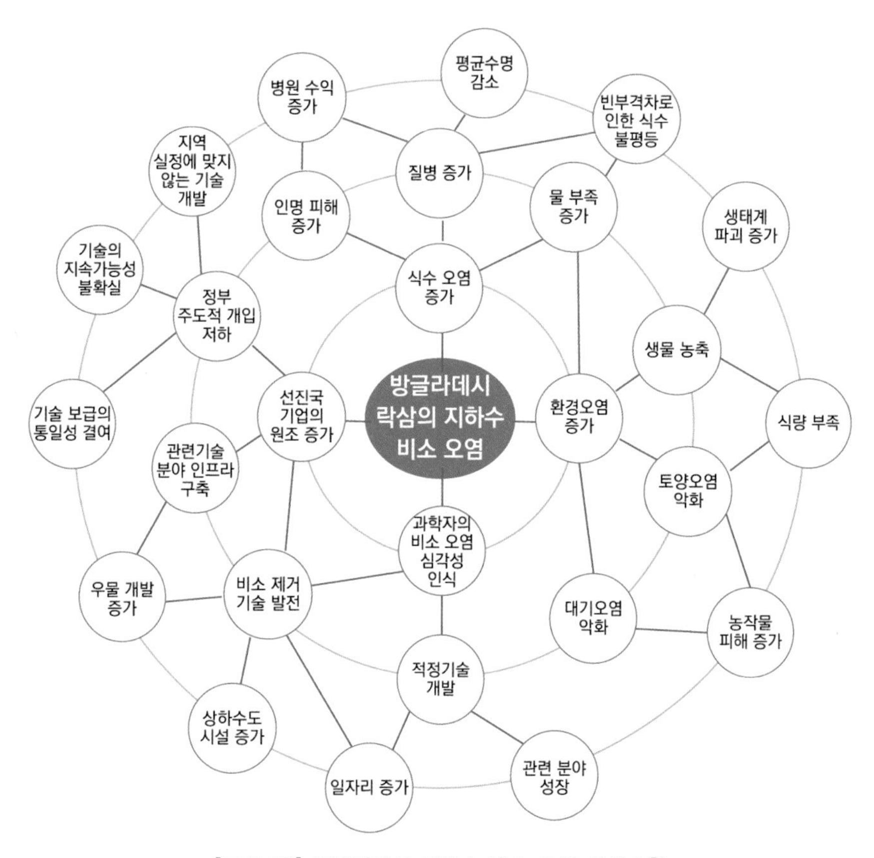

[그림 53] 방글라데시 지하수 비소 오염 퓨처스휠

모둠원들은 퓨처스휠을 그려보면서 앞으로 벌어질 수 있는 부정적인 미래와 우리의 노력으로 만들어보고 싶은 바람직한 미래의 차이가 크다는 것을 깨달았다. 이를 통해 방글라데시 락삼 지역에 대한 수질오염에 대해 지속적인 관심이 필요하다는 것을 다시 한번 느꼈다. 특히 방글라데시의 지역적, 경제적, 정치적 상황 등을 고려했을 때, 해당 국가의 자원을 활용함으로써 지속 가능하게 문제를 해결할 수 있는 적정기술의 개념을 도입하는 것이 필요하다는 결론을 내렸다.

[4단계] 과학 · 기술 · 공학적 쟁점해결

모둠원들은 방글라데시 지역 뉴스 기사, 다큐멘터리, 논문 탐색, 전문가 자문 등의 방법으로 문제를 해결하기 위한 기초 조사를 시작했다. 아이디어가 실제로 구현될 수 있기 위해서는 락삼지역의 인프라나 경제적, 지역적 환경 등에 대한 이해가 필요하다는 생각을 했다. 락삼 지역은 실제로 상수도 인프라가 매우 부족해서 지역 사람들이 개별적 또는 소규모로 쉽게 만들어 사용할 수 있는 방안이 더 효과적일 수 있다는 결론을 내렸다. 즉, 모둠원들은 적정기술의 개념을 도입해서 지역상황에 적합한 제품을 개발한다면 안전한 식수 공급이 가능해질 뿐만 아니라, 수질오염을 겪고 있는 다른 개발도상국에게 선례가 될 수 있다고 생각했다. 그래서 자료를 바탕으로 다음과 같이 다섯 가지의 아이디어를 도출하였다.

- 아이디어1. 커피찌꺼기/라테라이트성 토양/레드 머드/볏짚 압축물을 활용한 비소 흡착 정화공
- 아이디어2. 버려진 조개 패각(oyster shell, conch shell)을 활용한 비소 흡착 정화공
- 아이디어3. 중금속 축적 식물인 사다리봉의 꼬리(Pteris vittata)를 활용한 지하수 정화공법
- 아이디어4. 비소제거 필터(ABA/AA 흡착제, 자철석-산화그래핀 등)가 들어간 수도꼭지
- 아이디어5. 비소 제거를 위한 간이 황토정수기

모둠원들은 5개 아이디어 중 최적의 아이디어를 선정하기 위해 PRM(Pair Ranking Method) 기법을 적용하였다. 먼저 아이디어를 평가하기 위한 중요 기준으로 지속안정성, 지역 조화성, 현실성, 경제성을 뽑았다. 그리고 이 기준에서 락삼 지역에서 지속적으로 적용할 수 있는 아이디어인지를 묻는 지속안정성과, 실현 가능성을 평가하는 현실성에 좀 더 높은 가중치를 부여하였다. 모둠원들을 토의를 통해 각 기준별로 아이디어 1-5를 두 개씩 비교해나가면서 최적의 아이디어를 찾아나갔다. 가장 높은 평가를 받은 아이디어는 아이디어2와 아이디어3이었다. 이 두 아이디어를 비교한 결과, 락삼 지역 해변에서 구하기 쉬운 조개패각과 벤토나이트를 혼합한 정화공을 개발하여, 2차 오염을 방지하는 친환경적 처리 방법과 함께 지하수 내 비소 오염을 해결하는 것으로 최종 결정하였다.

모둠원들은 아이디어를 실행하기 위해 공학적 설계방식인 프로토타입 설계 방법을 선택했다. 즉, 락삼 주변 지역에서 쉽게 구할 수 있는 폐기물인 조개패각과 벤토나이트를 재료로 정화공 샘플을 제작해 보았다. 모둠원들은 조개패각과 벤토나이트의 비소 흡수율에 대한 논문을 찾아 공부하면서, 실험실에서 실제 재료를 이용하여 비소 흡수율을 높일 수 있는 최적의 배합비율을 찾아냈다. 그리고 정화공의 효과가 가장 높은 지금의 크기도 실험을 통해 찾아보았다. 또한 정화공은 열처리 온도 700-900℃에서 제작되어 안전성, 내구성이 있음을 실험과정에서 확인할 수 있었다. 비용을 계산해본 결과, 방글라데시 주민들이 156원으로 정화공 12개를 제작할 수 있을 만큼 경제적이었다. 이는 방글라데시 비소 오염농도를 고려할 때 12L의 물을 정화할 수 있는 수준이었다. 또한 사용한 정화공은 중금속 과축적 식물을 활용하여 폐기함으로써 2차 오염을 방지할 수 있다는 것도 확인했다.

모둠원들은 지역에서 쉽게 구할 수 있는 폐기 물질을 이용해서 생산할 수 있으며, 적은 비용으로 환경오염을 줄이는 충분히 지속가능한 방법을 찾아내었다. 또한, 락삼 지역 내에서 모든 제조 과정이 진행될 수 있기 때문에 지역 일자리 창출에도 기여할 수 있을 것으로 기대했다. 나아가 방글라데시의 많은 기업이 국영기업이라는 점을 고려할 때 공공기관과 협업한다면 지역 사업으로의 확장 가능성도 높다고 생각했다.

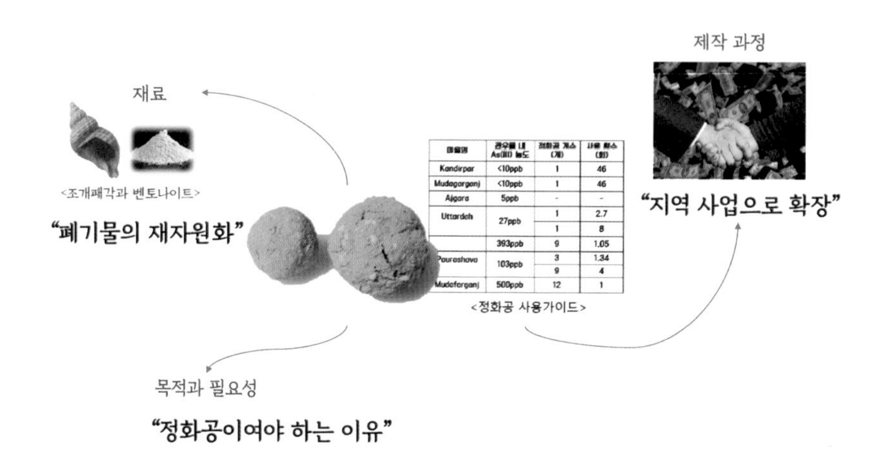

마을명	관우물 내 As(III) 농도	정화공 개수 (개)	사용 횟수 (회)
Kandirpar	<10ppb	1	46
Mudagarganj	<10ppb	1	46
Ajgara	5ppb	-	-
Uttardah	27ppb	1	2.7
		1	8
	393ppb	9	1.05
Paurashava	103ppb	3	1.34
		9	4
Mudafarganj	500ppb	12	1

[그림 54] 정화공 제작

[5단계] 사회적 실천

모둠원들은 정화공 연구결과를 사람들에게 알릴 뿐만 아니라 방글라데시 주민들에게 직접적인 도움을 주고 싶었다. 가장 먼저 비소 오염 문제에 대한 국제적인 관심을 이끌어 내기 위해 카드뉴를 제작하여 블로그, 인스타그램, 에브리타임 등에 배포하였다. 카드뉴스를 읽은 시민들을 대상으로 설문조사를 진행한 결과, "해결책 마련이 시급하다고 생각한다", "비소의 위험성을 다시금 느꼈다", "정화된 물을 하루빨리 전 세계 사람들이 마실 수 있도록 도와야 한다" 등의 응답을 받았고, 82.1%의 사람들의 인식이 변화하였음을 확인하였다. 시민들의 변화된 인식을 기반으로 작은 실천에 옮길 수 있도록 인스타그램에 '비소 아웃 챌린지'를 기획하였으며, 국내뿐 아니라 해외에 있는 사람들도 챌린지에 참여할 수 있도록 하였다.

카 드 뉴 스 시민들의 지속적인 관심을 조성하기 위한

방글라데시 비소 오염문제는 국제단체의 우물 제공 후 관심이 줄어 관리가 제대로 이루어지지 않아 주민들이 오랫동안 비소에 노출되어 발생한 문제이므로 해당문제에 관심을 가질 수 있도록 노력해야 합니다.

블로그, 인스타그램, 에브리타임 게시

설 문 조 사 방글라데시 지역주민들로부터 현지 현황 확보 및 기술 피드백을 위한

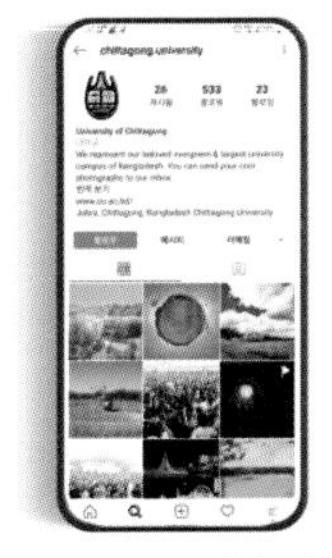

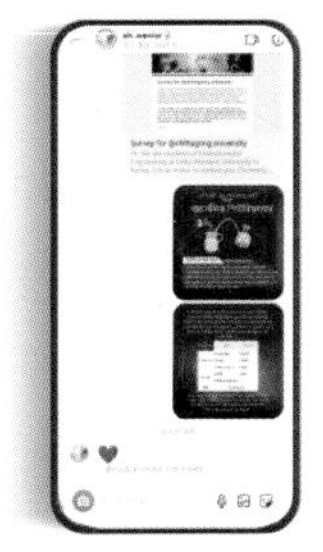

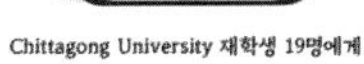

Chittagong University 재학생 19명에게 / Instagram DM을 통한 피드백 / DM 전송 내용과 답변

[그림 55a,b] 사회적 실천 예시

더 나아가 연구과정을 거쳐 만든 정화공이 실제 방글라데시에서 사용될 수 있기 위해서는 현지인들의 피드백이 필요하다고 생각했다. 이에, 모둠원들은 방글라데시 치타공 대학에 재학 중인 학생들을 대상으로 SNS를 통해 설문조사를 진행하였다. 그 결과, 새롭게 개발된 정화공을 사용하겠다는 의사를 표시한 학생들이 80%나 되었으며, 정화공의 현실화 가능성에 대해 모든 학생들이 인정해 주었다. 일부 학생들은 경제적인 부분을 좀 더 고려할 수 있는 아이디어를 제공하기도 하였다. 모둠원들은 정화공 개발 기술이 현지에 적용될 수 있도록 지속적인 노력을 해나갈 계획이다.

ENACT 사례3.
교통 약자를 위한 전기운동수단의 안전한 이용

거리를 걷다 보면 생각보다 많은 사람들이 전동킥보드나 전기자전거와 같은 전기운송수단을 이용하는 것을 볼 수 있다. 특히 전동킥보드의 경우, 스마트폰 어플을 통해 쉽고 간편하게 대여할 수 있으며, 장소에 상관없이 반납이 가능하기 때문에 점점 대중화되고 있다. 특히, 코로나 19 상황에서는 많은 사람들이 대중교통을 기피하여 짧은 거리를 효율적으로 이동할 수 있는 수단으로 전동킥보드를 선택하고 있다.

사례 3. 교통 약자를 위한 전기운동수단의 안전한 이용 ENACT 프로젝트 진행 과정

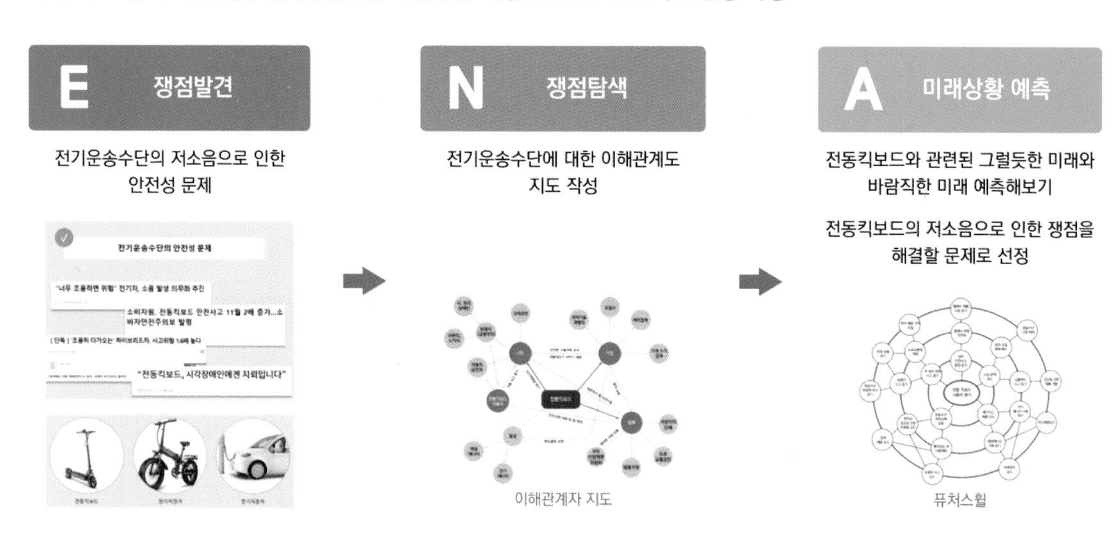

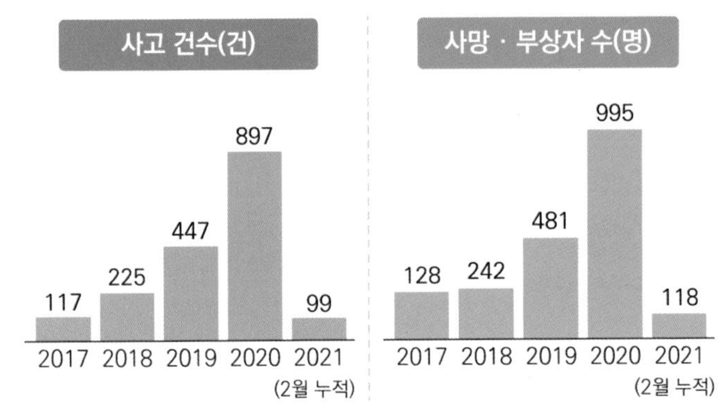

[그림 56] 개인형 이동장치 교통사고 현황
(그림 출처: https://www.joongang.co.kr/article/24026224#home)

그러나 최근 전동킥보드와 차량 간의 교통사고나 보행자를 들이받는 사고가 급증하고 있다. 경찰청 자료(2021년 2월 기준)에 따르면 사고 건수 및 사망·부상자 수가 매년 배가량 증가하고 있다. 대부분이 운전 미숙이나 과속으로 인한 사고이다. 2021년 5월부터 전동킥보드 운행을 위한 면허 소지 및 안전모 의무 착용 등의 규정을 시행하고 있으나, 여전히 2인이 같이 타

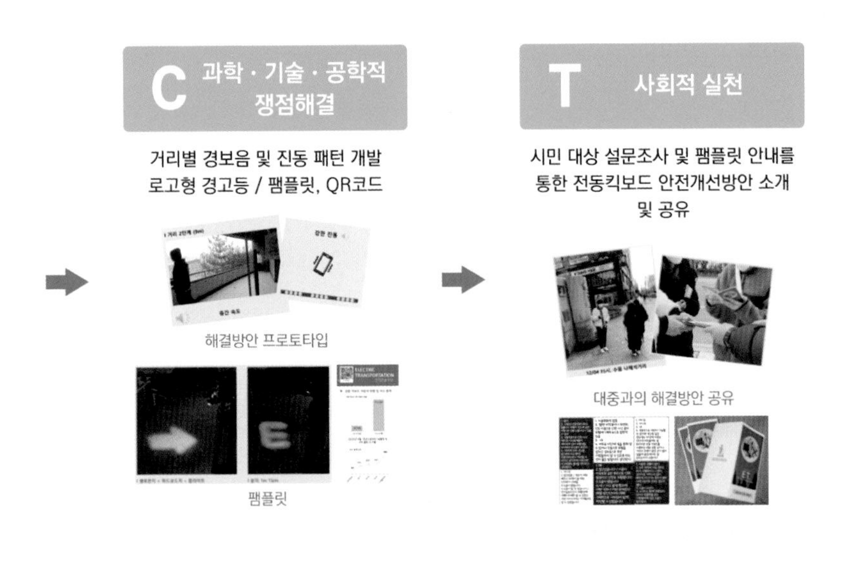

거나, 헬멧을 쓰지 않는 경우를 심심치 않게 볼 수 있다.

전동킥보드의 여러 문제점 중에서 이 모둠은 전동킥보드의 저소음으로 인해 오히려 피해 받고 있는 교통 약자, 즉 노인이나 장애인에 초점을 맞추었다. 대부분의 사용자들은 저소음을 선호하겠지만, 저소음의 전동킥보드가 고속으로 운행될 때 시각 및 청각 장애인들은 안전에 매우 큰 위협을 느낀다. 많은 사람들이 인지하지 못했던 전동킥보드의 저소음 문제를 해결할 수 있는 방법은 없을까? 이를 해결하기 위해 이 모둠원들은 다음 순서에 따라 ENACT 프로젝트를 진행하였다.

[1단계] 쟁점발견

모둠원들은 모두 시스템안전공학부 학생들로, 전동킥보드로 인한 사고가 급증하는 문제에 대해 평소 관심이 많았다. 게다가 모둠원 중 한 명이 최근 전동킥보드에 큰 사고를 당할 뻔한 적이 있어, 전동킥보드 사고 문제를 해결해보고 싶었다. 이 모둠은 전기운송수단에 대해 자료를 검색해 보는 것으로부터 시작했다. 현재 출시되고 있는 전기운송수단은 환경오염을 줄이기 위해 배터리와 전기모터를 사용하고 있어 내연기관에 비해 월등히 조용하게 운행할 수 있다는 특징이 있다. 하지만, 다양한 사고 사례를 탐색하면서 오히려 저소음이라는 특징으로 인해 생기는 위험에 대해 알게 되었다. 전동킥보드의 운행소리가 작아 보행자가 전동킥보드가 접근해오는 것을 인지하기 어렵다는 것이다. 이 때문에 좁고 어두운 골목길이나 주차장과 같은 공간에서 사고 확률이 높다는 것을 확인했다. 무엇보다도 저소음 문제는 시각 및 청각장애인에게는 매우 위협적이라는 사실을 확인하였다. 도로에 아무렇게나 방치된 전동킥보드도 시각장애인에게는 위험한 장애물이 될 수 있으며, 전동킥보드가 점자 블록을 가려 갑자기 몸의 균형을 잃거나 발이 전동킥보드에 걸려 넘어지는 사고도 빈번했다. 이 모둠은 교통 약자를 배려하며 전기 운송수단을 안전하게 활용할 수 있는 방안을 탐색해 보기로 했다.

[2단계] 쟁점탐색

모둠원들은 전기운송수단으로 인한 문제를 해결하기 위해 관련된 이해관계자들을 생각해 보았다. 전기운송수단과 관련된 이해관계자는 전기운송수단 사용자, 정부, 전기운송수단 관련 업체, 일반 보행자, 대중교통 관련자 등 매우 다양했다. 일반 보행자에는 건강한 시민도 포함되지만, 교통 약자에 속하는 노인이나 어린이, 장애인 등이 속했다. 전기운송수단을 많이 사용하는 20－30대 젊은 층은 또 다른 이해관계자가 될 수 있었다. 친환경 전기운송수단을 홍보하는 정부 기관도 이해관계자가 될 수 있고, 안전한 운행을 위해 법규를 제정하는 기관도 이해관계자에 포함된다. 법규 위반 여부를 판단하는 교통 경찰도 포함될 수 있다. 전기운송수단을 생산하는 업체뿐만 아니라 이를 대여하거나 수거하는 업체도 중요한 이해관계자가 될 수 있다.

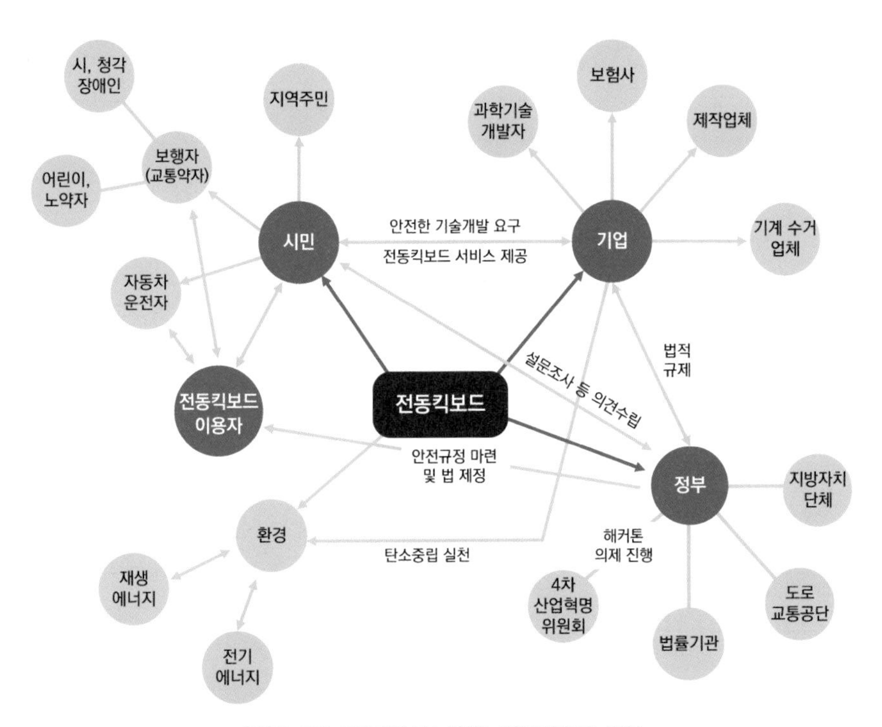

[그림 57] 전동킥보드 관련 이해관계자 지도

모둠원들은 전기운송수단을 둘러싸고 있는 많은 이해관계자들이 서로 복잡하게 얽혀져 있음을 확인할 수 있었다. 예를 들어, 정부가 안전사고에 대비하기 위해 법령을 제정했을 때 찬성하는 사람들도 있었지만, 전동킥보드를 많이 이용하는 20–30대 젊은 층은 매번 안전모를 들고 다녀야 하는 번거로움을 지적하면서 법령의 실효성이 있을지에 의문을 제기했다. 보행자들은 전동킥보드의 방치에 대해 민원을 제기하기도 하지만, 사용자의 입장에서는 아무 곳에나 주차할 수 있다는 점이 매우 큰 장점이다. 더 좋은 배터리와 모터를 개발하는 제조업체가 있는 반면, 저소음과 과속으로 인해 피해받는 교통 약자들은 더 큰 위협을 느꼈다. 짧은 거리를 효율적으로 이동할 수 있는 전기운송기기 사용에 대해 많은 제약을 두는 것은 오히려 정책에 반대되는 것이라고 주장하는 사람들도 있다. 시각장애인들을 위해 저소음을 위한 기술을 제약한다면 전기운송수단을 사용하는 사람들에게는 그 소음이 불편할 수 있다. 시각장애인의 입장에서 이 문제를 해결하기에는 많은 이해관계자가 얽혀 있었다.

[3단계] 미래상황 예측

전기운송수단이 지금의 방식대로 계속 사용된다면 어떠한 일이 벌어질까? 모둠원들은 퓨처스휠의 가운데 '전기운송수단'을 적고, 전기운송수단이 미칠 수 있는 파급효과들을 생각해 보았다. 모둠원들은 심야 안전사고 발생, 소음문제 감소, 친환경 에너지 사용, 보행자와 탑승자의 개별적인 주의 요구, 시각장애인의 안전 위협을 1차적으로 적은 후, 2차, 3차, 4차 파급 효과를 이어서 작성했다. 한 예로, 모둠원들은 시각장애인의 안전 위협에 대해 보행자를 위한 접근 알림 장치 필요, 새로운 소음 발생 등을 이어 적었다. 심야 안전사고 발생에 대한 2차 파급효과로는 플래시 착용 및 사용 의무를, 그 다음 파급효과로는 플래시 제품 사용 증가 등으로 이어나갔다.

모둠원들은 퓨처스휠에 적은 내용을 바탕으로 전기운송수단이 바람직한 방향으로 대중화되기 위해서 필요한 요소들을 선정해 보았다. 그중에서도 접근 시 경보음 발생 장치 장착을 의무화하거나 플래시 사용을 의무화하는 것을 통해 시각장애인을 포함한 보행자의 안전을 보장할 수 있는 방법을 찾아보기로 결정했다.

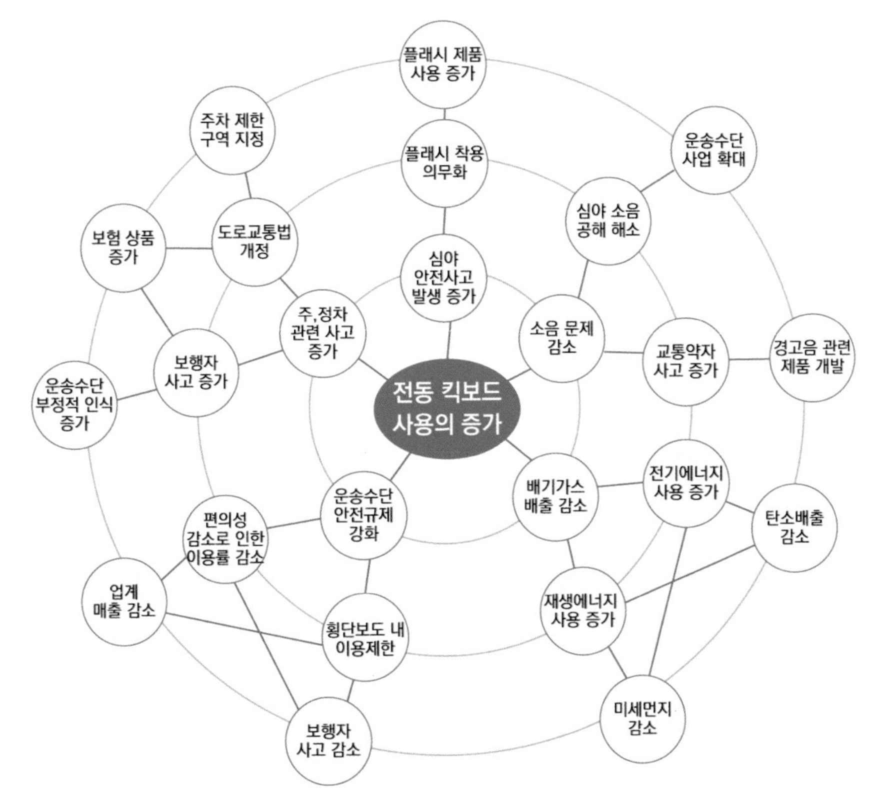

[그림 58] 전동킥보드 관련 퓨처스휠

[4단계] 과학 · 기술 · 공학적 쟁점해결

모둠원들은 전기운송수단 중 비교적 많은 사람들이 쉽게 접근할 수 있는 전동킥보드를 개선하는 방안을 생각해 보기로 결정했다. 먼저 이들은 전동킥보드를 사용해 본 경험이 있는 사람들이나 시·청각장애인, 보행자 등을 포함한 이해관계자들이 저소음으로 인한 사고 문제에 대해서 어느 정도 인지하고 있으며, 어떠한 개선점이 필요하다고 생각하는지를 알아보기 위해 설문조사를 실시했다. 사람들의 의견은 매우 다양했다. 가장 많이 나온 의견을 고려해서 만들어본 3개의 아이디어는 다음과 같았다.

- 로고형 경고등: 길거리에서 쉽게 볼 수 있는 로고 라이트 바닥 광고와 같은 개념으로 전조등 부분에 부착한다.
- 모션감지 진동센서: 자동문의 적외선 센서나 현관등 센서와 같은 개념으로 전동킥보드에 장착한다.
- 경보음 발생 장치: 자동차 후방 감지센서와 같은 개념으로 전동킥보드에 장착한다.

모둠원들은 이 아이디어에 간단한 코딩을 더해 로고형 경고등, 진동센서, 경보음 등 감각 경고 발생장치를 제작해 보았다. 먼저 거리 단계별로 경고음의 속도를 조정하였다. 다음으로 탑승자가 보행자가 오고 있음을 지각하지 못하는 상황에서 발생하는 사고를 방지하기 위해 진동센서도 작동하게 하였다. 마지막으로 어둡거나 잘 보이지 않는 상황에서 발생하는 사고를 발생하기 위하여 로고형 경고등도 제작해 보았다. 로고형 경고등은 셀로판지와 하드보드지를 이용하여 제작한 로고를 돔 라이트로 비추는 형식으로 제작하였다.

모둠원들은 세 가지 감각 경고 발생장치를 활용해서 경고 단계를 3단계로 나누는 것을 생각해냈다. 즉, 1단계는 전동킥보드와 보행자 사이의 거리가 12m일 때로, 빛과 약한 손잡이 진동을 통해 감각 경고를 실시하도록 하였다. 2단계는 9m 간격일 때로, 중간 손잡이 진동과 경보음이 발생하도록 했다. 3단계는 6m 간격으로 강한 빛, 강한 손잡이 진동, 경보음이 발생하도록 제작하였다.

이들은 탑승자가 거리에 따른 감각 경고를 효과적으로 인지할 수 있는지 여러 번의 테스트를 진했다. 그리고 발생할 수 있는 에러를 다각도로 생각해보면서 경보 시스템을 수정해나갔다.

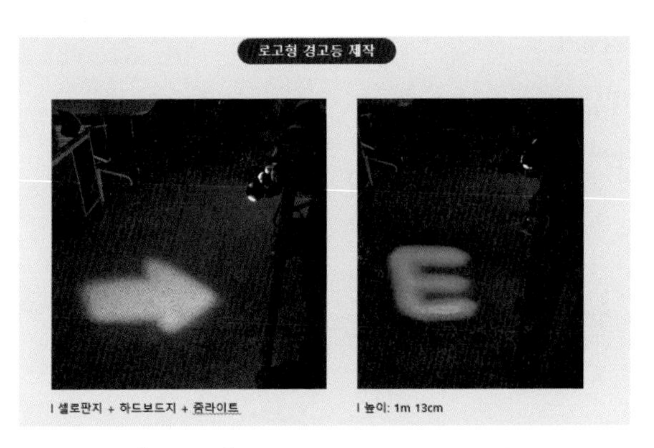

[그림 59] 학생들이 도출한 아이디어

[5단계] 사회적 실천

모둠원들은 전동킥보드의 위험성을 알리고 개발한 경고시스템에 대한 의견을 수렴하기 위해 팸플릿을 제작했다. 전동킥보드 이용자 수 및 사고 통계량, 전동킥보드 사고 사례를 담고, 모둠이 개발한 경고시스템을 해결방안으로 소개하였다. 경고시스템의 효율성을 보다 직접적으로 전달하기 위해 실험 영상을 QR코드로 제공하였다.

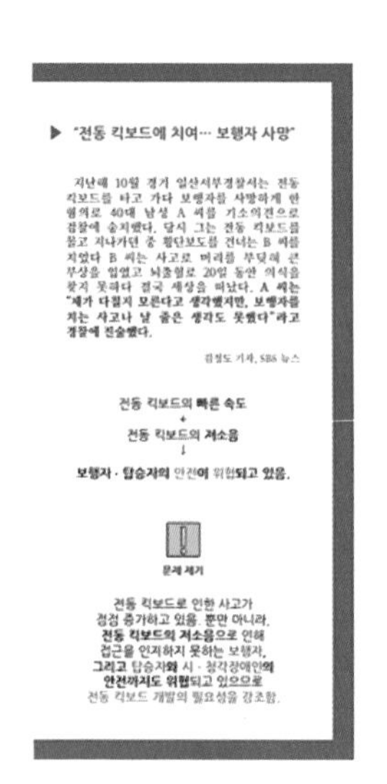

전동 킥보드 안전 아이디어

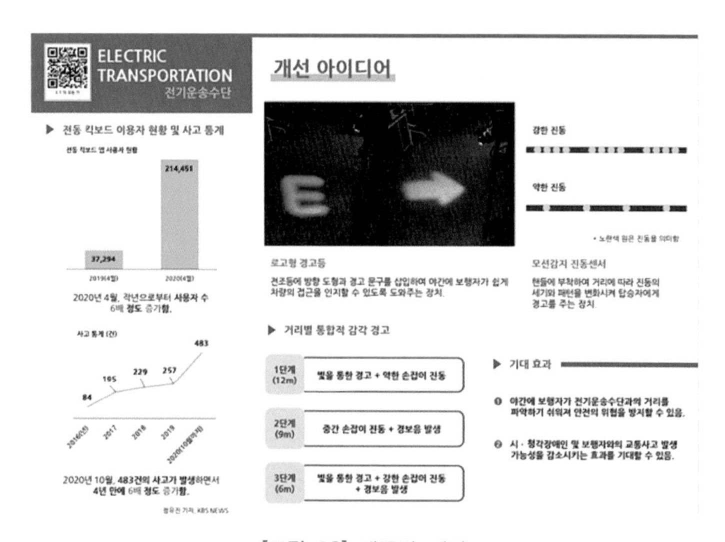

[그림 60] 팸플릿 제작

모둠원들은 수원 나혜석 거리로 나갔다. 시민들에게 팸플릿을 나누어주며, 전동킥보드의 위험성을 알렸다. 특히 시각장애인과 같은 교통 약자를 보호하기 위해서는 경고시스템이 필요하다는 것을 적극적으로 홍보하였다. QR코드를 통해 실험 영상도 보여주었다. 그리고 시민들이 전동킥보드의 위험성에 대해 알고 있었는지, 팸플릿을 통해 전동킥보드로 인한 사고에 대해 새롭게 알게 된 점이 있는지, 경고시스템이 효과적인 방법이라고 생각하는지 등을 설문조사를 통해 물었다. 온라인을 통해서도 팸플릿을 홍보하고 설문조사를 실시했다. 참여한 시민들은 모둠원들이 시각장애인을 배려하여 낸 아이디어를 칭찬하고 긍정적으로 평가해 주었다.

긍정적인 피드백을 통해 모둠원들은 자신들이 고안한 아이디어가 시·청각 장애인뿐만 아니라 야간에 장애물과의 거리를 파악하기 어려운 탑승자나 보행자에게도 큰 도움을 줄 것이라는 확신이 들었다. 궁극적으로 전동킥보드로 인한 사고를 줄여 안전하고 효율적인 교통 수단으로 자리잡기를 기대해 보았다.

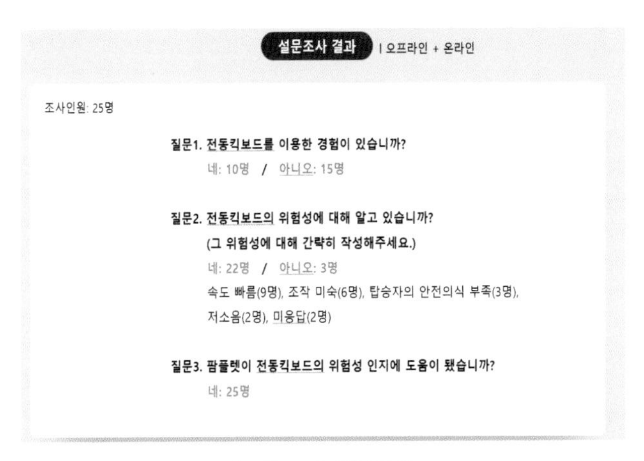

설문조사 결과 | 오프라인 + 온라인

조사인원: 25명

질문1. 전동킥보드를 이용한 경험이 있습니까?

네: 10명 / 아니오: 15명

질문2. 전동킥보드의 위험성에 대해 알고 있습니까?
(그 위험성에 대해 간략히 작성해주세요.)

네: 22명 / 아니오: 3명

속도 빠름(9명), 조작 미숙(6명), 탑승자의 안전의식 부족(3명), 저소음(2명), 미응답(2명)

질문3. 팜플렛이 전동킥보드의 위험성 인지에 도움이 됐습니까?

네: 25명

[그림 61] 설문조사

SECTION 04

ENACT 사례4. 노이즈 캔슬링, 안전한가?

노이즈 캔슬링은 외부에서 발생하는 소음을 상쇄하거나 감소시켜 필요한 소리만 더 잘 들을 수 있도록 하는 기술이다. 최근 여러 기업에서 노이즈 캔슬링 기능을 탑재한 이어폰을 출시해서 인기를 끌고 있

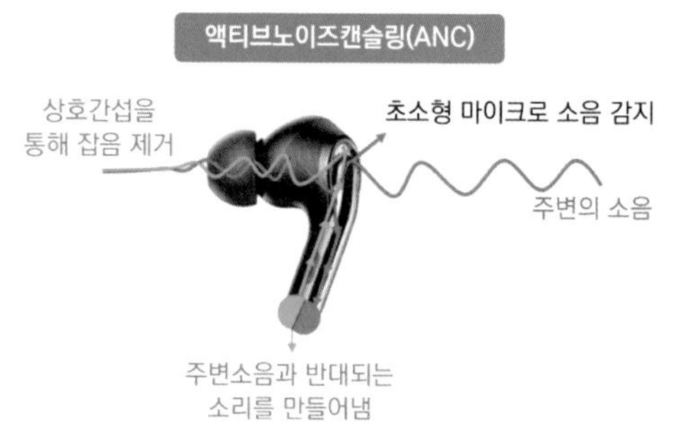

[그림 62] 액티브 노이즈 캔슬링(ANC) 기술

사례 4. 노이즈캔슬링과 나의 생존 확률 ENACT 프로젝트 진행 과정

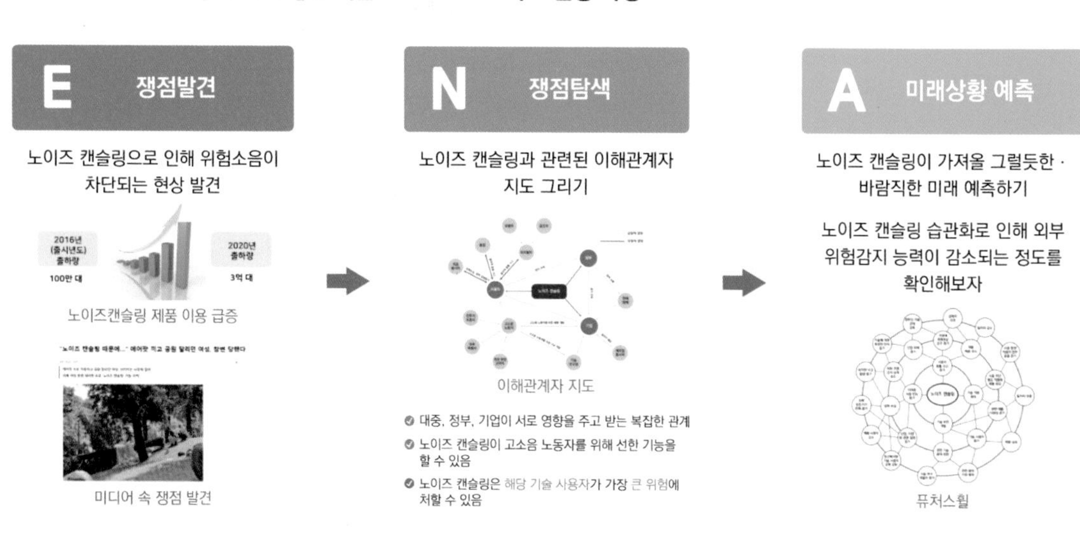

다. 주변을 둘러보면 무선 노이즈 캔슬링 이어폰을 끼고 다니는 사람들을 쉽게 찾을 수 있다.

외부 소음을 감지한 후 소음과 반대되는 파형을 발생시켜 상쇄시키는 액티브 노이즈 캔슬링 기술은 전투기 조종사들이 엔진 소음 속에서도 원활하게 소통할 수 있도록 군사용 목적으로 개발된 것으로, 이어폰뿐만 아니라 다양한 목적으로도 사용되고 있다.

그런데 이어폰이 외부 소음을 차단하는 것이 좋은 측면만 있는 것은 아니다. 만약 이어폰이 차단하는 외부 소음에 내가 사고를 피하기 위해 반드시 들어야 하는 소리도 포함되어 있다면 어떨까? 예를 들어, 노이즈 캔슬링 이어폰을 끼고 음악을 들으며 걷고 있을 때, 내 뒤로 경적을 울리며 달려오는 자전거 소리를 듣지 못하게 될 수도 있다. 자전거 경적뿐만 아니라 자동차나 오토바이 소음, 그 외로 사고를 예측할 수 있는 소음들은 모두 노이즈 캔슬링 기술 앞에서 상쇄된다. 이 모둠은 노이즈 캔슬링 기술이 야기할 수 있는 안전문제에 관심을 갖고 다음과 같이 ENACT 프로젝트를 진행하였다.

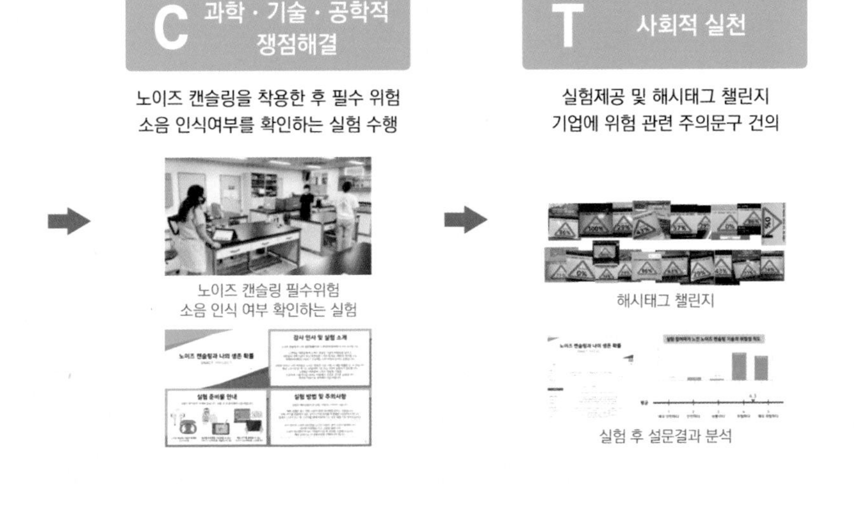

[1단계] 쟁점발견

최근 노이즈 캔슬링 기술을 이용한 무선 이어폰 사용자가 급증하고 있다. 다소 비싼 가격이긴 하지만, 외부 소음을 줄여 필요한 소리에만 집중하게 해주는 편리함 때문에 모둠원들도 모두 노이즈 캔슬링 기능이 있는 이어폰을 즐겨 사용하고 있다. 이들은 노이즈 캔슬링 이어폰이 안전을 위협할 수 있다는 보도를 본 경험을 이야기해 보았으며, 모두 한두 번은 이어폰을 끼고 걷다 자전거나 오토바이 소리를 듣지 못해 깜짝 놀랐던 경험이 있었다.

모둠원들은 노이즈 캔슬링 이어폰에 대해 검색하던 중 안타까운 기사 하나를 발견했다. 미국의 한 지역에서 이어폰을 낀 채 공원을 뛰던 여성이 외부 소음을 듣지 못해 쓰러지는 나무를 피하지 못하고 목숨을 잃는 사고가 발생했던 것이다. 기사에는 보행 시 노이즈 캔슬링 기술 사용이 사고 위험을 높일 수 있기 때문에 주의를 당부하는 전문가의 의견도 제시되어 있었다.

[그림 63] 노이즈 캔슬링 이어폰 사용 사고 기사
(그림 출처: https://www.wikitree.co.kr/articles/621477)

모둠원들은 노이즈 캔슬링 기술이 우리 생활에 유용하고 필요한 기술이지만, 이로 인한 문제도 존재하는 양면성을 가지고 있다는 점에 주목했다. 그리고 소음 차단이라는 노이즈 캔슬링의 순기능 뒤에 숨겨진 위험성을 이어폰을 사용하는 대중들에게 알릴 필요가 있다고 생각했다. 그래서 듣지 못하면 다치거나 사망할 위험이 있어 꼭 인식해야 하는 소음을 '필수 위험 소음'이라 부르기로 하고, 보행 시 노이즈 캔슬링에 의해 이러한 필수 위험 소음이 차단되는 문제를 쟁점으로 선정했다.

[2단계] 쟁점탐색

노이즈 캔슬링 기술이라는 쟁점과 관련된 이해관계자들을 떠올려보았다. 기술을 이용하는 사용자, 이어폰 등을 생산하는 제조업체와 판매업체, 기술 개발자, 정부 등을 가장 먼저 생각해볼 수 있었다. 좀 더 구체적으로 사용자에도 음악 등을 듣기 위해 노이즈 캔슬링 이어폰을 사용하는 사람도 있지만, 고소음 환경에서 장시간 업무를 수행해야 하기 때문에 착용하는 노동자들도 생각해 볼 수 있었다. 또한 직접적으로 기술은 사용하지 않지만, 이어폰을 착용하고 보행하는 사람들을 피해 지나다녀야 하는 보행자나 운전자도 해당될 수 있을 것이라 생각했다.

관련된 이해관계자들을 적은 후 다양한 종류의 선을 사용하여 각 이해관계자 사이의 관계를 구분해 보았다. 파란색 굵은 선으로는 주요 이해관계자를 표시하고, 하늘색으로 간접적인 관계 또한 표현했다. 이들은 이해관계자 지도를 그리면서 대중과 정부, 기업이 서로 영향을 주고받는 복잡한 관계에 놓여있다는 것을 확인할 수 있었다.

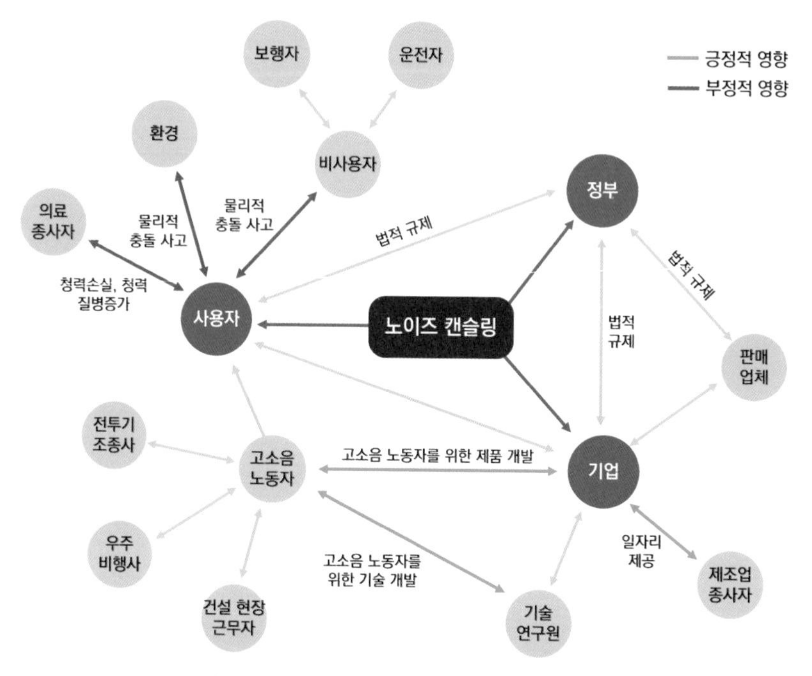

[그림 64] 노이즈 캔슬링 이해관계자 지도

다양한 이해관계자들 사이에서 모둠원들이 특히 주목한 이해관계자는 사용자였다. 이해관계자 지도에서 사용자와 연결된 선이 가장 많다는 것을 확인할 수 있었으며, 이는 노이즈 캔슬링 기술 사용자가 가장 큰 위험에 처할 수 있다는 것을 의미했기 때문이었다. 모둠원들은 노이즈 캔슬링을 사용하는 사람들과 사용할 사람들에게 해당 과학 기술의 위험성을 알리는 것이 필요하다는 생각이 들기 시작했다.

[3단계] 미래상황 예측

노이즈 캔슬링 기술에 대한 사용이 지금처럼 계속 급증한다면 어떤 상황이 될까? 모둠원들은 퓨처스휠을 그리면서 다양한 미래상황을 예측해 보았다. 전자파에 대한 노출, 청력 관련 질병 증가, 물리적 충돌 사고 증가로 인한 인명피해 등이 1차적으로 예측해 볼 수 있는 미래상황이었다. 2차적으로는 노이즈 캔슬링 습관화로 인한 외부 위험 감지 능력이 감소하고, 이러한 상황은 사회 전반적으로 건강하고 안전한 생활을 영위하는 데 방해요인이 될 수 있을 것으로 생각되었다.

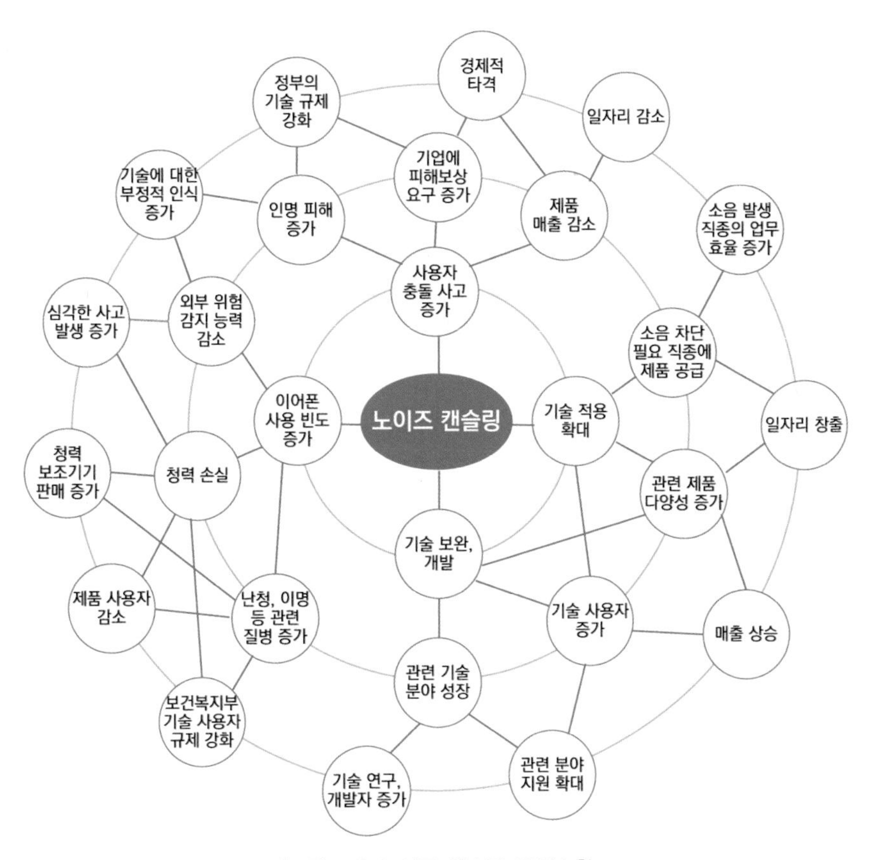

[그림 65] 노이즈 캔슬링 퓨처스휠

부정적인 미래상황만 있는 것은 아니었다. 노이즈 캔슬링 기술 사용이 많은 소음에 노출되어 있는 현대인들의 피로를 줄여줄 수 있는 효과도 있었다. 바쁜 생활과 번잡한 환경 속에서도 소음을 듣지 않을 수 있는 선택의 자유가 생기고 자신만의 편안한 공간을 만들 수 있게 되는 미래도 예측해볼 수 있었다.

모둠원들은 퓨처스휠을 바탕으로 미래상황에 대한 시나리오도 작성해 보았다. 아무런 개선 노력 없이 계속 노이즈 캔슬링을 사용하면 다가올 수 있는 미래와 현재의 쟁점이 바람직하게 개선되었을 때 예상되는 미래는 어떻게 다를까?

모둠원들은 노이즈 캔슬링 기술로 인한 문제를 해결하기 위해 가장 먼저 해볼 수 있는 것은 사람들에게 노이즈 캔슬링 기술이 필수 위험 소음까지 차단시켜 안전에 위협을 줄 수 있다는 사실을 알려주는 것이라는 결론에 이르렀다.

[4단계] 과학 · 기술 · 공학적 쟁점해결

사람들에게 노이즈 캔슬링 기술이 가져올 수 있는 위험을 어떻게 알려줄 수 있을까? 모둠원들은 여러 가지 방법을 생각해 보았다. 그중에서도 가장 효과적인 방법은 실제로 노이즈 캔슬링 이어폰을 착용했을 때 필수 위험 소음이 얼마나 차단되는지를 느껴보도록 하는 것이라고 생각했다.

모둠원들은 노이즈 캔슬링 사용 시 필수 위험 소음이 어느 정도 차단될 수 있는지를 테스트해보기로 했다. 소음의 크기(데시벨)별 어느 정도 차단되는지에 대한 정보는 논문이나 인터넷 검색을 통해 찾을 수 있었다. 하지만 소음이 어느 정도 차단되는가가 아니라, 노이즈 캔슬링 기능의 유무에 따라 실제로 사람들이 어느 정도의 소음을 인식하게 되고, 그것이 방어 행동과 연결될 수 있는지가 궁금했다.

먼저 노이즈 캔슬링 기능이 있는 이어폰을 끼고 주변 소음들을 얼마나 들을 수 있는지 스스로 테스트 해보았다. 이어폰에서 노이즈 캔슬링 기능을 켰을 때 80db 미만의 소음들(예: 자전거가 지나가는 소리, 반려견 짖는 소리, 사람들의 대화소리, 전동 킥보드 소리)은 거의 들리지 않았다. 노이즈 캔슬링 기능을 사용해 음악을 듣는 경우에는 80db 이상의 소음들(예: 자동차 경적 소리, 자동차가 지나가는 소리, 오토바이 소리, 자전거 벨소리)까지 크게 차단되는 것을 경험할 수 있었다. 간단한 테스트만으로도 노이즈 캔슬링 이어폰을 사용했을 때 외부 소음을 듣지 못하고 사고가 일어날 확률이 높아질 수 있다는 것을 직감할 수 있었다.

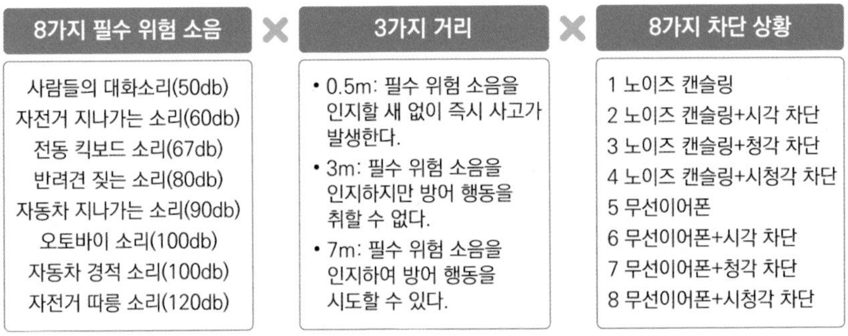

8가지 필수 위험 소음 × **3가지 거리** × **8가지 차단 상황**

8가지 필수 위험 소음
- 사람들의 대화소리(50db)
- 자전거 지나가는 소리(60db)
- 전동 킥보드 소리(67db)
- 반려견 짖는 소리(80db)
- 자동차 지나가는 소리(90db)
- 오토바이 소리(100db)
- 자동차 경적 소리(100db)
- 자전거 따릉 소리(120db)

3가지 거리
- 0.5m: 필수 위험 소음을 인지할 새 없이 즉시 사고가 발생한다.
- 3m: 필수 위험 소음을 인지하지만 방어 행동을 취할 수 없다.
- 7m: 필수 위험 소음을 인지하여 방어 행동을 시도할 수 있다.

8가지 차단 상황
1 노이즈 캔슬링
2 노이즈 캔슬링+시각 차단
3 노이즈 캔슬링+청각 차단
4 노이즈 캔슬링+시청각 차단
5 무선이어폰
6 무선이어폰+시각 차단
7 무선이어폰+청각 차단
8 무선이어폰+시청각 차단

[그림 66] 노이즈 캔슬링 이어폰의 소음차단 정도 확인을 위한 실험 설계

모둠원들은 이 결과를 사람들에게 효과적으로 알릴 수 있는 방법을 생각해보았다. 실험 콘텐츠를 제작해서 누구든지 쉽게 노이즈 캔슬링의 위험을 느껴볼 수 있도록 하고 싶었다. 이를 위해 '생존 확률'이라는 개념을 만들었다. 즉, 필수 위험 소음을 얼마나 잘 인식하는지에 따라 생존 확률이 달라지는 것이다. 이 생존확률은 실제 위험 상황에서의 생존 확률과 상이하다. 정확한 계산보다는 시민들의 경각심을 유발하여 안전한 사용습관을 갖도록 하는 것이 주된 목적이었다.

누구나 쉽게 실험을 진행할 수 있도록 실험 과정을 간소화했다. 실험에 사용되는 필수 위험 소음은 세 가지(사람들의 대화 소리, 오토바이 소리, 자동차 경적 소리), 소음을 듣는 거리는 두 가지(2.5m, 5.0m)로 축소하여 총 실험 횟수는 6번, 전체 실험 소요 시간은 15분이 될 수 있도록 조정했다. 실험 참여자는 각 실험마다 소음 인식 정도를 0, 1, 2 중 하나를 선택하여 기록해야 한다. 실험이 끝나면 '생존 확률 도출' 버튼을 누르고 자신의 생존 확률이 무엇인지 확인할 수 있도록 했다.

필수 위험 소음

1. 사람들의 대화소리
2. 오토바이 소리
3. 자동차 경적소리

※ 실내임을 감안하여
원래 데시벨 보다
20~25db 낮추어 진행

두 가지 거리

2.5m 소음 3개
5.0m 소음 3개

총 6회

소요 시간

전체 실험 과정
15분

고정된
장소

2.5m

5.0m

[그림 67] 최종 간소화된 실험 과정

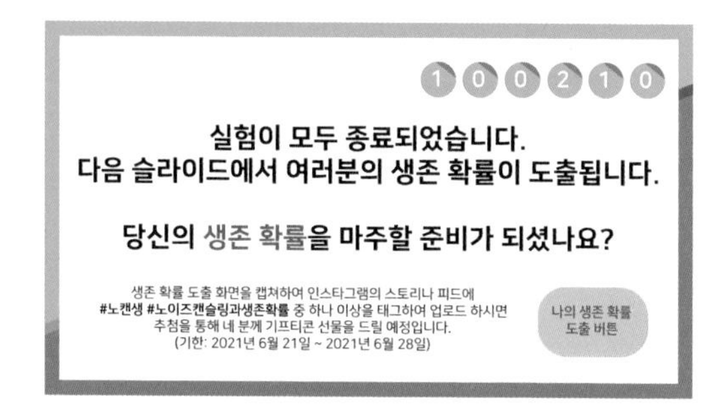

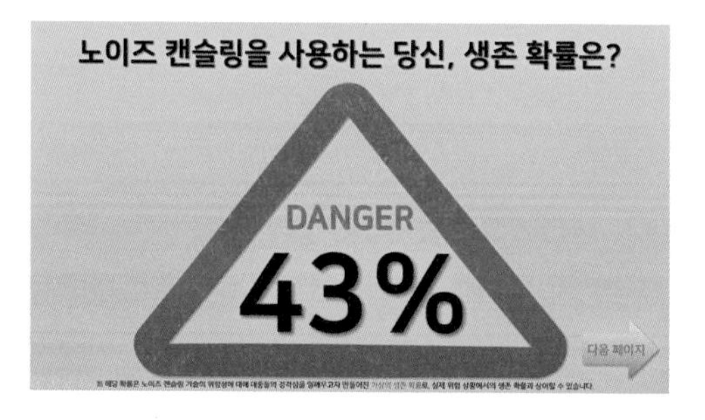

[그림 68] 노이즈 캔슬링 생존 확률 계산 및 안내

[5단계] 사회적 실천

모둠원들은 개발한 실험 콘텐츠를 많은 사람들이 활용해 보고 노이즈 캔슬링이 필수 위험 소음을 얼마나 차단하는지 직접 느껴보며 해당 기술에 대한 경각심을 갖기를 원했다. 그래서 온라인으로 스스로 실험해 볼 수 있는 온라인 콘텐츠를 만들어 SNS를 통해 공유하였으며, 사용자가 쉽게 따라 할 수 있도록 가이드북도 만들었다. 참여한 사람들은 자신의 생존확률을 캡처해서 SNS에 업로드하는 해시태그 챌린지를 진행하였다. 참여자들의 생존 확률은 다양하게 나왔지만 생존 확률 50% 미만이 약 62%로, 대체적으로 필수 위험 소음을 잘 인식하지 못한다는 것을 확인할 수 있었다.

[그림 69] 노이즈 캔슬링으로 인한 필수위험 소음 인식 실험: 해시태그 챌린지

참여자들을 대상으로 설문조사도 실시해 보았다. 실험 참여자들은 모두 실험 참여 후 노이즈 캔슬링 기술의 위험성을 인지하게 되었다고 응답했으며, 앞으로 노이즈 캔슬링 사용 빈도를 줄이겠다는 참여자들도 많았다. 또한 해당 상품 사용 설명서에 주의 문구를 추가하는 것에도 동의했다.

노캔생 후 대중들의 인식 변화 여부

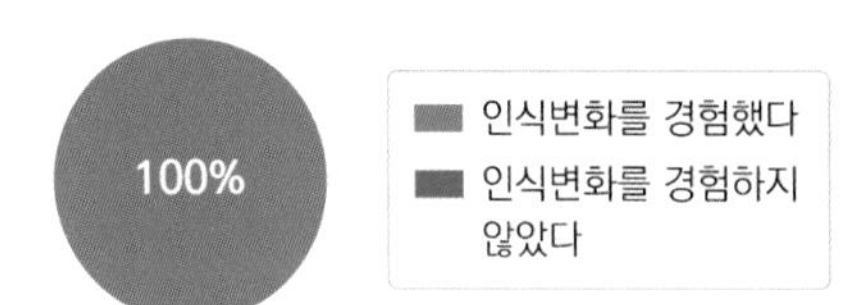

실험 참여자 전원이
인식 변화를 경험

해당 기업에게 주의 문구 추가 건의 동의 여부

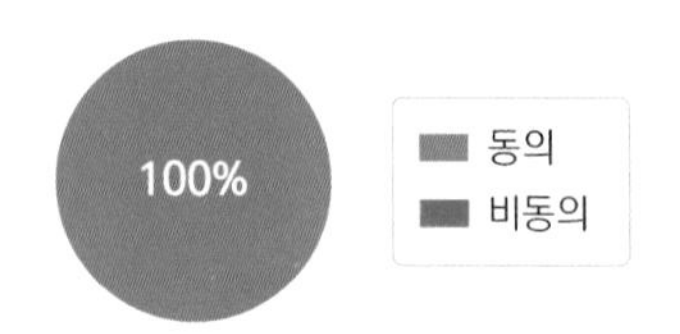

실험 참여자 전원 해당 상품 사용 설명서에
주의 문구 추가하는 것 동의

실험 참여자가 느낀 노이즈 캔슬링 기술의 위험성 척도

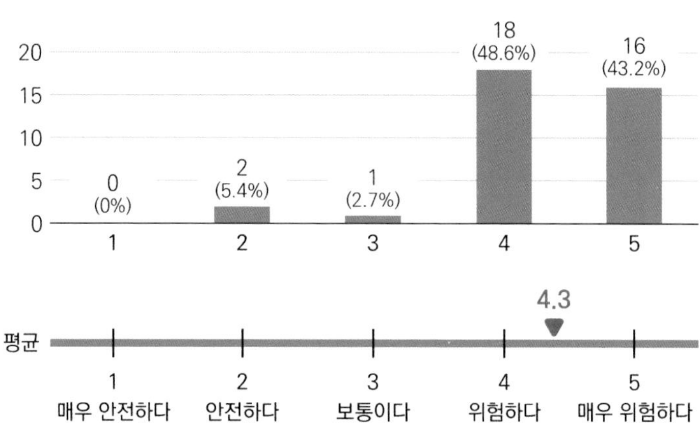

[그림 70] 노이즈 캔슬링 실험 이후 설문 결과

SECTION 05

기타 사례

[사례 1] 세탁 시 배출되는 미세섬유를 줄이기 위한 필터 개발

플라스틱 성분을 포함한 폴리에스테르, 나일론 등과 같이 다양한 합성 섬유로 만든 옷을 세탁할 때 약 70만 개의 미세섬유가 배출된다. 이렇게 배출되는 미세섬유는 바다로 흘러들어가 바다생물들이 삼키게 되며 결국은 우리 인간의 식탁에까지 오르게 된다. 학생들은 이를 해결하기 위해 세탁 시 미세섬유를 거를 수 있는 방법을 찾아보기로 했다. 현재 시중에서 판매되고 있는 코라볼과 고래가 수염을 통해 여과섭식을 진행하는 원리에서 아이디어를 얻어 '생체 모방형 필터'를 디자인해 보았다. 생체 모방형 필터는 고래수염의 구조를 모방하여 물은 잘 배출되지만 미세섬유는 잘 걸러지는 형태로 구성했으며, 고래수염 대신 쉽게 구할 수 있는 칫솔의 미세모를 이용하여 제작하였다. 실제로 학생들은 필터를 통해 미세섬유와 물을 섞어 실험을 진행하였으며 그 결과, 여과의 효과가 있음을 확인했다. ENACT의 사회적 실천단계에서는 미세섬유로 인한 해양오염의 심각성을 알리고자 온-오프라인을 통한 인식조사와 미세섬유를 줄일 수 있는 방안에 대한 홍보 활동을 수행했다.

[그림 71] 미세섬유 줄이는 필터 개발

[사례 2] 처방약의 안전한 폐기를 위한 지퍼백 디자인

가정에서 사용하고 남은 처방약의 무분별한 배출은 토양오염과 수질오염과 같은 심각한 환경오염을 야기한다. 학생들은 이러한 약 폐기물 처리에 문제의식을 갖고 이를 해결할 수 있는 방안을 찾아보기로 했다. 학생들은 먼저 폐의약품 수거에 대한 시민들의 인식을 높이는 것이 최우선이라고 생각했다. 이에, 학생들은 폐의약품 폐기 방법이 적힌 비닐을 비치한 스웨덴의 사례와 약국에서 소비자에게 폐의약품 처리 방법을 지도해야 하는 약사법을 고려하여 해결 방안에 대한 아이디어를 도출했다. 학생들은 폐의약품 처리 방법이 적힌 손잡이 지퍼백 형태의 가정용 수거통 제작을 해결 방안으로 선정했다. 이러한 해결 방안을 토대로 학생들은 폐의약품 수거 봉투를 제작하여 실제 시민들에게 이를 배부하고 다양한 의견을 수렴하는 활동을 진행했다. 더불어, 수거통 배부를 제안하는 내용의 정책 제안을 국민신문고로 신청하였으며, 약사를 대상으로 효과성에 대한 피드백을 듣기도 하였다.

완성된 프로토타입

수거봉투 제작 및 배부

[그림 72] 처방약 폐기 지퍼백 디자인 및 배부

[사례 3] 생분해성 플라스틱에 대한 이해증진을 위한 보드게임 개발

플라스틱으로 인한 환경문제가 증가함에 따라 최근 '생분해성 플라스틱'이 주목받고 있다. 하지만, 많은 사람들이 생분해성 플라스틱이 무엇이며, 어떤 장점이 있는지, 어디에 주로 사용되는지 등에 대해 잘 모르고 있다는

점에 주목하고 이를 해결하기 위한 방안을 생각해 보았다. 학생들은 문제를 구체화하기 위해 시민들을 대상으로 설문을 진행한 결과, 예상했던 바대로 생분해성 플라스틱의 특성과 폐기하는 방식에 대한 인식이 부족한 것으로 나타났다. 이를 해결하기 위해 학생들은 시민들의 이해를 높일 수 있는 'PLABINGO' 보드게임 개발을 해보기로 했다. 보드게임에 생분해성 플라스틱의 폐기 방법과 분해 조건 그리고 환경에 미치는 영향에 대한 내용을 포함하여 게임을 하면서 자연스럽게 이해할 수 있게 하는 것이 주된 목적이었다. 학생들은 생분해성 플라스틱으로 포장된 제품을 구매하고 사용한 뒤 폐기하는 과정에 대한 스토리라인을 구성한 뒤, 온라인으로 게임을 제작하여 운영해 보았다. 이들은 체험한 사람들의 이해가 높아지는 것을 확인할 수 있었다.

[그림 73] 생분해성 플라스틱에 대한 보드게임 개발

[사례 4] 개발도상국의 의료폐기물 소각로에 대한 제안

코로나로 인하여 전 세계적으로 의료폐기물의 발생이 더욱 심각한 문제로 제기되고 있다. 특히, 폐기물 처리 기술이 고도화되지 않은 개발도상국에서는 현지 국민의 건강과 환경을 위협하는 심각한 문제로 부각되고 있다. 이에, 학생들은 개도국 중 코로나 이후 의료폐기물이 61.8%가 증가한 이란

테헤란 지역에 초점을 맞추어 의료폐기물 처리 시설 개발을 위한 해결 방안을 모색했다. 이를 해결하기 위해 학생들은 여러 변인(병상당 발생하는 의료폐기물 양, 대기로 방출되는 가스의 양 등)을 고려하여 '이중 챔버식 소각로' 처리 방법에 대한 공정도를 시각화해서 제시해보았다. 사회적 실천단계에서는 온라인 커뮤니티 및 SNS를 통해 의료 폐기물 급증 문제를 공론화함으로써 이에 대한 심각성을 지역사회에 알리기 위한 많은 노력들을 진행했다.

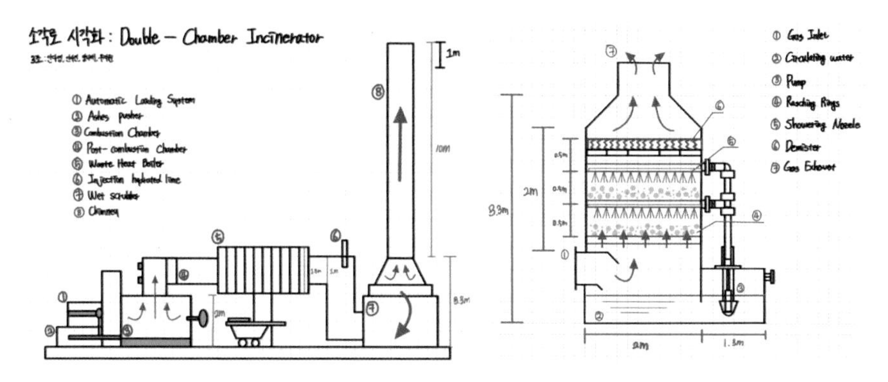

[그림 74a] 개발도상국 의료폐기물 소각로 제안

[그림 74b] 개발도상국 의료폐기물 카드뉴스 제작

[사례 5] 팬데믹 속 마스크와 생태계의 공존 방안을 찾아서

COVID19의 장기화에 따라 일회용 마스크 사용과 폐기에 관한 문제가 제기되고 있다. 특히, 올바른 마스크 분리배출에 대한 시민들의 인식 부족으로 야생동물의 생존이 위협받고 있으며, 해양오염도 심각해지고 있다. 학생들은 이를 해결하고자 분리배출이 손쉽고 재활용이 가능한 마스크를 개발하고자 했다. 마스크 디자인에 앞서, 시민들을 대상으로 사용하는 마스크의 디자인, 마스크 폐기 방식에 대한 인식 등과 같은 설문조사를 진행하였다. 그 결과 학생들은 마스크 끈을 재사용 할 수 있는 방식에 초점을 맞춰 접착형 마스크 끈, 금속 집게 귀끈, 벨트형 귀끈과 같은 다양한 프로토타입을 제작함으로써 해결 방안을 도출해 보았다. 더 나아가 학생들은 본인들이 제작한 마스크 방식을 관련 업체에 제안하고 올바른 마스크 폐기법을 알리는 캠페인을 진행하는 등의 다양한 사회적 실천을 진행했다.

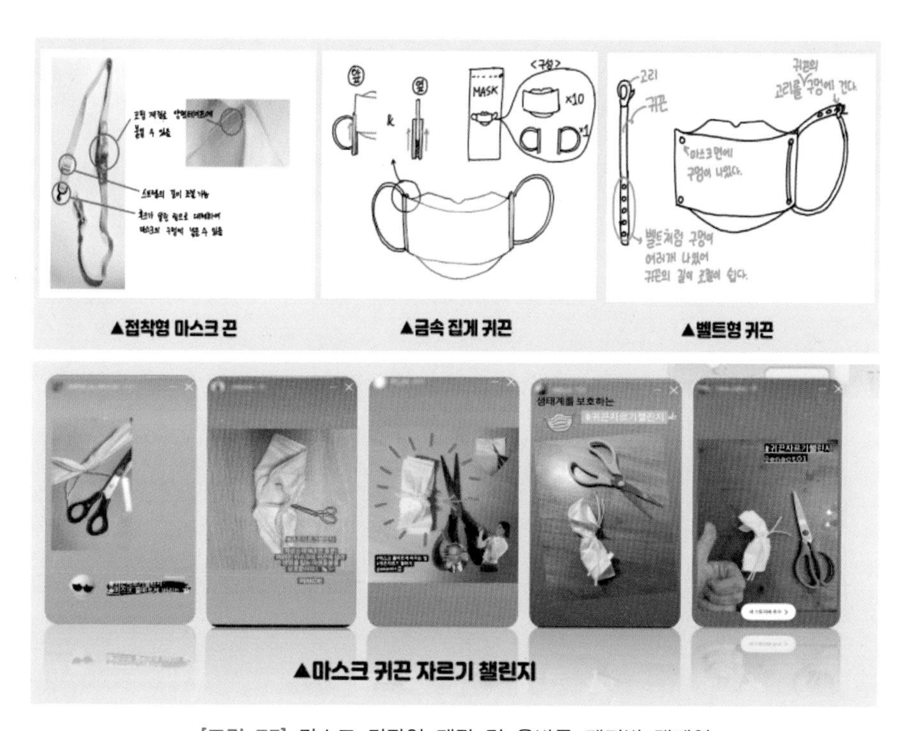

[그림 75] 마스크 디자인 제작 및 올바른 폐기법 캠페인

[사례 6] 자율주행 자동차에 대한 막연한 두려움을 낮추기 위한 챗봇 제작

자율주행 자동차 상용화가 이제 머지않았다. 자율주행 자동차에 대한 여러 염려와 윤리적 문제 때문에 많은 논쟁이 있어 왔지만, 해킹이나 인식 오류 등 많은 문제들도 하나씩 해결되고 있다. 대중들이 자율주행 자동차 기술에 대해 명확히 이해하게 되면, 자율주행 자동차를 선택해야 할 상황에서 좀 더 합리적인 판단을 할 수 있다고 생각했다. 이를 돕기 위해 학생들은 챗봇 소프트웨어를 활용하여 자율주행 자동차에 대한 챗봇을 제작하였다. 인터넷을 통한 자료 조사뿐만 아니라 자율주행 기술 전문가와의 자문을 바탕으로 시민들이 알아야 하는 내용에 대한 질문과 답변을 작성하고, 이를 학습시켜 챗봇을 완성하였다. 학생들은 완성된 챗봇을 실제 대중들이 실제 사용해 보도록 홍보하였으며, 시민들의 인식 변화를 알아보기 위해 설문조사도 실시해 보았다. 설문 결과, 시민들이 자율주행 자동차에 대해 갖는 막연한 두려움이 많이 낮아지는 것을 확인할 수 있었다.

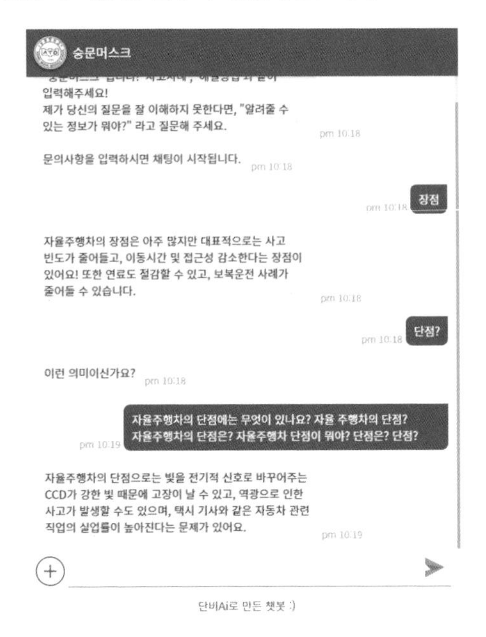

[그림 76] 자율주행차 관련 챗봇 제작

[사례 7] 개인 정보 보호를 위한 피싱 사이트 구분 프로그램 제작

빅데이터에 대한 관심이 높아짐과 동시에 개인 정보 수집 및 침해나 악용 위험에 대한 염려도 높아지고 있다. 학생들은 개인 정보가 무분별하게 유출 및 악용되는 문제를 해결한다면 빅데이터를 이용해 다양한 분야에서 보다 유용한 서비스를 제공할 수 있을 것으로 생각했다. 이에, 학생들은 다양한 개인 정보 유출 경로 중에서도 대중이 쉽게 노출되는 인터넷 피싱 사이트를 중심으로 문제를 해결해 보기로 하였다. 먼저 500개 이상의 피싱 사이트 링크로부터 도메인의 나이, 만료 여부, 길이, 유형, 특정 요소 포함 여부 등의 정보를 얻어 피싱 사이트만의 특징을 찾아냈다. 그리고 이를 바탕으로 국내 피싱 사이트 주소를 분석하여 사이트 주소를 입력했을 때 피싱 사이트인지 확인할 수 있는 프로그램을 제작했다. 제작한 프로그램을 홍보하고 사람들에게 개인 정보 유출에 대한 경각심을 주기 위해 관련 내용을 담은 카드 뉴스를 제작하여 SNS를 통해 홍보하는 활동을 진행하기도 했다.

[그림 77] 개인 정보 보호를 위한 피싱 사이트 구분

[사례 8] 꿀벌에게 위협이 되는 친환경 농약 속 성분을 구분하는 모델 개발

농업분야에서 보다 안전한 농산물을 생산하기 위해 대부분 친환경 농약을 사용하고 있지만, 친환경 농약조차도 꿀벌들에게는 위협이 되고 있다. 한 예로, '네오니코티노이드'라고 불리는 농약은 기존 살충제보다 독성이 적어 친환경 농약으로 알려져 있다. 이 농약은 살포가 아닌 코팅 방식을 적용해 해충들이 내성을 키우지 못한다는 장점을 가지고 있어 많은 농업인들이 사용하고 있다. 하지만 이 농약으로 인해 꿀벌들이 귀소본능 상실, 신호전달 마비, 온몸 마비 등으로 죽어가고 있다. 학생들은 꿀벌의 개체수 감소가

결국에는 생태계에 큰 위협이 될 수 있기 때문에 농약이 꿀벌에게 나쁜 영향을 미친다는 사실을 알려 경각심을 주는 것이 필요하다고 생각하였다. 학생들은 우선 시중에 가장 많이 판매되는 농약 34가지를 조사하고, 네오니코티노이드계 성분이 들어있는 농약을 판별해낼 수 있는 인공지능 모델을 만들었다. 그리고 이 모델의 사용법과 QR코드, 농약이 꿀벌에게 미치는 영향을 담은 포스터를 제작하여 학교 게시판, SNS를 운영하는 젊은 농부들, 농부 카페 등에 공유하고 의견을 수렴해 보았다.

[그림 78] 꿀벌에게 위협이 되는 친환경 농약 알림

[사례 9] 재난 대비를 위한 앱 프로토타입 개발

기후변화로 인한 재해 및 재난이 점점 증가하고 있다. 학생들은 재난을 대비할 수 있는 여러 방안을 찾아보면서, 현재 운영되고 있는 재난 대비 시스템이 사람들이 재난을 대비하기에 충분한지에 대해 의문이 들었다. 문제를 해결하기 위해 학생들은 현재 어떤 재난 대비 시스템이 있는지 조사하기 시작했다. 각 시스템의 장·단점을 정리한 후 지진이나 해일 등 재난이 발생했을 때 빠르게 대피소를 찾을 수 있는 앱이 필요하다고 판단했다. 서울 열린 데이터 광장에서 서울 내 지진해일 대피소 데이터를 받아 필요한 정보만을 추출하고, 구글 지도에 대피소의 위치와 정보(주소, 수용 가능 인원, 유형 등)를 표시해 사람들이 주변 대피소 정보를 쉽게 찾을 수 있는 애플리케이션 <대피소 지도>를 구현해냈다. 사회적 실천 단계에서는 기존 재난 대비 시스템 담당자에게 <대피소 지도> 기능의 필요성에 대한 설명과 해당 기능 추가를 제안하는 제안서를 작성해 보냈다. 또한 시민들에게도 재난 상황에 대비하는 방법과 <대피소 지도> 사용법을 알리는 카드 뉴스를 만들어 홍보했다.

[그림 79] 재난 대비 앱 개발

[사례 10] 친환경 소재 필터를 사용한 마스크 연구

일회용 마스크 사용이 급증함에 따라 인한 환경오염 문제를 우려하는 목소리가 커지고 있다. 학생들은 일회용 마스크를 대체하기 위한 방안으로 친환경 소재의 마스크 필터를 고안해 보기로 했다. 미세 입자 차단 실험을 설계하고 여러 가지 재료를 활용해서 테스트해 본 결과 닥나무를 사용한 기능성 한지 필터의 미세 입자 차단율이 매우 높다는 것을 확인했다. 기능성 한지의 바이러스 차단율이 높다는 관련 논문도 찾을 수 있었다. 학생들은 기능성 한지를 사용해서 착용감이 좋은 마스크를 제작해보기 위해 시중에 파는 다양한 마스크들의 특징을 기록하며 마스크 디자인도 해보았다. 사회적 실천 단계에서 학생들은 한지 필터의 우수성을 알리는 카드 뉴스를 제작하고, 친환경 소재 필터에 대한 소개와 필터의 개발 과정과 장점 등의 내용을 담은 교육 세미나를 진행하였다.

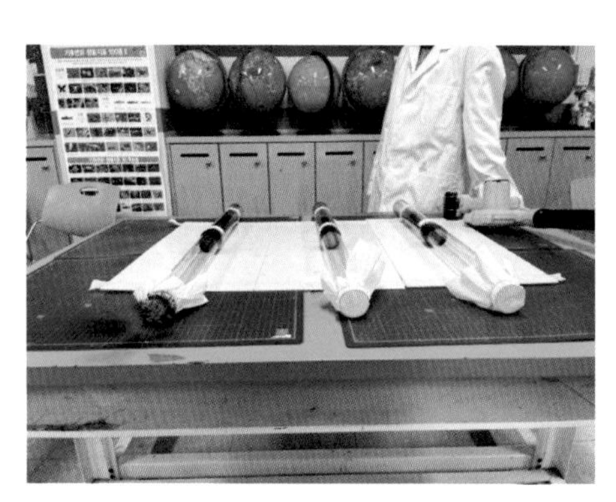

[그림 80] 친환경 소재 필터 이용 마스크 연구

[사례 11] 폐기물 불법 수출 감시 시스템 제안

국내에서 해외로 플라스틱 쓰레기를 불법 수출한 사건이 종종 보도되고 있다. 필리핀으로 불법 수출한 폐기물 1300톤이 필리핀 세관에 적발되어 한국으로 다시 돌아온 '스펙트럼 n호'가 대표적인 예이다. 현재 국내의 폐기물 발생은 나날이 늘어가고 있으며 폐기물 소각시설은 감소되고 있지만 폐기물 수출 제한에 대한 기준이 부재하는 등의 수출 폐기물에 대한 제도적인 문제가 미흡한 상황이다. 이러한 불법 수출에 대한 심각성을 인지하고 해결하기 위해 학생들은 국내 폐기물 처리의 구조적 문제, 폐기물 관리의 제도적 문제, 기존 폐기물 관리 시스템의 한계와 같은 문제점을 도출했다. 이들은 해결방안으로 해양수산부의 드론 활성화를 통해 수출 폐기물 동선을 파악하고 이를 단속할 수 있는 관리 방안을 제안하였다. 또한, RFID 센서 데이터를 이용하여 실시간 쓰레기 발생 정보 수집을 통한 관리 감독과 같은 아이디어를 제시하기도 했다. 더 나아가 학생들은 국내 쓰레기 발생 현황에 대한 문제점과 함께 쓰레기 불법 수출 문제에 대한 심각성을 알리기도 했다.

[그림 81] 폐기물 감시 시스템 제안

[사례 12] 베트남 Hoan Kiem 호수의 수질오염(녹조) 문제 개선

베트남은 산업 단지, 지역 및 병원에서 처리되지 않은 폐수들로 인하여 수질 오염이 지속되고 있다. 특히, Hoan Kiem 지역은 유해 물질이 지속적으로 유출되고 있지만 관련 규제의 부족으로 인하여 지역 주민들은 오염된 수질을 사용할 수밖에 없다. 또한 지역의 폐수처리 시스템은 노후화된 상황으로 수질오염은 지속되고 있으며 이로 인한 녹조 현상 또한 매우 심각한 상황이다. 이에, 학생들은 Hoan Kiem 지역의 수질오염에 대한 개선의 필요성을 인식했으며 수질의 녹조 제거에 초점을 맞추었다. 이를 해결하기 위해 학생들은 녹조를 활용해 만들 수 있는 물품 제작과 같은 방안을 도출했다. 이에, 학생들은 생활용품의 소비시장이 큰 베트남 경제 상황을 고려하여 사람들도 쉽게 제작할 수 있고 활용할 수 있는 천연 비누를 제작하는 해결 방안을 최종적으로 선정하였으며, 녹조 가루(클로렐라 분말)를 활용하여 직접 비누를 제작했다. 더 나아가 학생들은 교내에서 수질 오염에 대한 심각성과 녹조 비누에 대한 홍보 활동을 진행하는 활동을 진행하기도 했다.

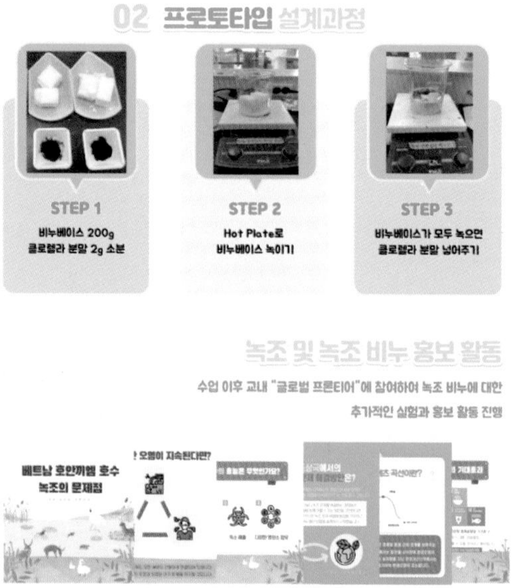

[그림 82] 베트남 녹조 개선 연구

[사례 13] 중금속으로 오염된 개발도상국의 농업용수 개선

전자기기 사용의 급증으로 전자폐기물이 증가하고 있다. 대부분의 전자폐기물은 개발도상국으로 수출되고 있으며, 개발도상국에서는 전자폐기물을 태워 구리와 같은 금속을 얻거나 부품을 재활용해 경제적 수입을 얻고 있다. 그러나 개발도상국 중 가나 아그보그블로시는 세계 최대 전자폐기물 쓰레기 처리장으로서, 토양과 물에 중금속이 흘러들어가 수질오염이 심각하다. 학생들은 가나 아그보그블로시 지역의 수질오염에 초점을 맞추어 이를 완화할 수 있는 방안을 찾아보고자 했다. 학생들은 농업용수의 중금속 농도를 낮출 수 있는 최적의 방안으로 이끼를 활용하는 방안을 생각해냈다. 이끼는 중금속 특히 납 성분을 제거하는 데 효과적이며 현지의 산도나 습도 그리고 저렴한 가격이라는 점을 고려할 때 효율적인 방안이 될 수 있다고 판단했다. 이에, 이끼 벽돌과 같은 아이디어를 3D 프로그램을 통해 구현해보았으며, 나아가 SNS를 통해 전자폐기물로 인한 오염의 심각성을 알리고 전자폐기물 줄이기 실천 방안에 대한 홍보도 진행했다.

이끼 벽돌(모스피어) 제작

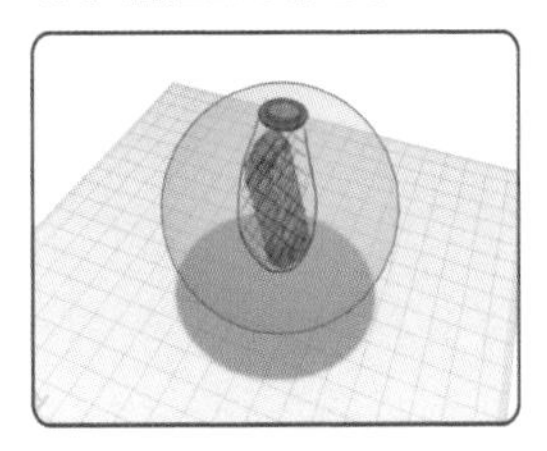

- **이끼** : 생수태(sphagnum moss)
- **이끼벽돌** : 무게감 있는 벽돌
- **이끼벽돌을 담을 팩** : 충격에 강한 소재, 구모양으로 제작
- **이끼벽돌이 담길 망** : 필터역할, 최대한 촘촘하게 설계

[그림 83] 개발도상국 농업용수 개선 방안

[사례14] 가상 현실에서의 시간 압축 현상 해결

가상공간은 훨씬 생생한 실제감을 제공하기 때문에 게임 등에 많이 활용된다. 대부분의 사용자들이 VR을 활용하여 게임을 하다보면 실제로 흐른 시간보다 더 짧은 시간이 흘렀다고 느끼는 '시간 압축 현상'을 경험한다. 학생들은 이 현상으로 인한 문제들이 심각한 수준으로 발생하고 있음을 깨닫고, 이를 해결해보고자 했다. 먼저 VR 게임을 할 때와, 게임을 하지 않을 때 개인이 느끼는 시간이 흐른 정도를 비교하기 위해 실험을 계획하고, 지원자를 받아 실험을 진행했다. 또한 동일한 VR 실험 환경에서 게임을 하는 중간에 일정 사용시간을 알리는 알람을 울리거나, 화면에 시계가 표시되도록 하면 시간의 흐름을 인식하는 정도에 차이가 있는지도 실험을 통해 측정해 보았다. 실험 결과 실제 시간 압축 현상이 일어남을 확실히 확인할 수 있었으며, 시계나 알람이 이러한 현상을 방지하는 데 도움이 됨을 알 수 있었다. 학생들은 실험 결과를 바탕으로 VR 게임의 위험성을 알렸다. 그리고, 교사들이 메타버스 환경을 수업에 도입할 때 유의할 점에 대해 의견을 나눌 수 있는 세미나를 진행했다. 또한 실험 내용과 결과, 세미나 내용을 요약한 영상을 제작하여 동영상 플랫폼에 게시하였다.

[그림 84] VR에서의 시간 압축 실험 및 위험성 알리는 세미나

[사례 15] 과연 당신의 생리대는 안전할까요?

일회용 생리대에서 독성 화학 물질이 검출되었다는 보도 이후, 일회용 생리대가 여성 건강에 안전한가에 대한 우려가 커지고 있다. 학생들은 일회용 생리대 제작 과정에서 사용되는 화학 접착제의 위험성을 쟁점으로 선정하고, 문제를 해결하고자 했다. 이들은 일회용 생리대 개발자와 만나 생산 공정의 구조와 사용되는 화학 접착제의 양, 실제 공정에서 천연 접착제를 사용할 수 있을지에 대한 이야기를 들어보았다. 이 과정에서 이들은 생리대와 관련된 법규의 미비함을 확인하였고, 각종 논문과 법규를 바탕으로 안전한 생리대 개발과 사용을 위한 방안을 제안하였다. 그리고 사회적 실천 단계에서 학생들은 국민 신문고를 통해 안전한 일회용 생리대의 필요성에 대한 청원을 올리고, 일회용 생리대 접착제의 위험성을 알리는 기사를 작성하여 환경 관련 신문사에 투고했다. 그리고 일회용 생리대 관련 시민 의식을 높이기 위해 온라인, 오프라인 캠페인을 진행했다. 생리대 접착제에 대한 정보를 담은 카드 뉴스를 온라인에 게시하기도 하고, 참여자가 자신이 사용하는 생리대 접착제 성분을 확인하고 인증하는 캠페인을 진행했다. 오프라인에서는 생리대의 화학 접착제를 직접 확인해 볼 수 있는 체험 부스를 운영하고, 중학교 학생들을 대상으로 관련 교육 세미나를 진행했다.

[그림 85] 일회용 생리대 속 화학물질 알리기

[사례 16] 올바른 의약품 폐기를 위한 변색 잉크 활용 아이디어

잘못 폐기된 의약품으로 인해 생태계 파괴 및 중성화된 물고기와 같은 기형 어류가 출현하는 등의 심각한 환경 문제가 발생하고 있다. 학생들은 폐의약품으로 인한 생태계 교란 및 생태계 다양성의 감소의 심각성을 깨닫고, 효과적인 폐의약품 수거 또는 처리 방법이 필요하다고 판단했다. 먼저 폐의약품에 대한 소비자들의 인식을 알아보고자 같은 학교 학생들을 대상으로 설문조사를 실시했다. 그 결과, 의약품 폐기에 있어 소비자가 생각하는 가장 큰 어려움은 버려야 하는 약에 대한 구분이 어렵다는 것임을 알게 되었다. 이러한 어려움을 해결하고자 먼저 의약품 용지에 시간이 지나면 사라지는 변색 잉크로 유통기한을 표기하는 아이디어를 제시했다. 변색 잉크 표시 아래에는 표시가 사라지면 약을 약국이나 보건소로 가지고 와 폐기하면 된다는 안내 문구를 추가했다. 또한 폐의약품 수거함에 대한 인식을 높이기 위해 교내에 수거함을 설치하고, 해당 수거함에 폐의약품을 처리한 학생들을 대상으로 포인트를 적립할 수 있도록 하는 제도를 기획해 보았다.

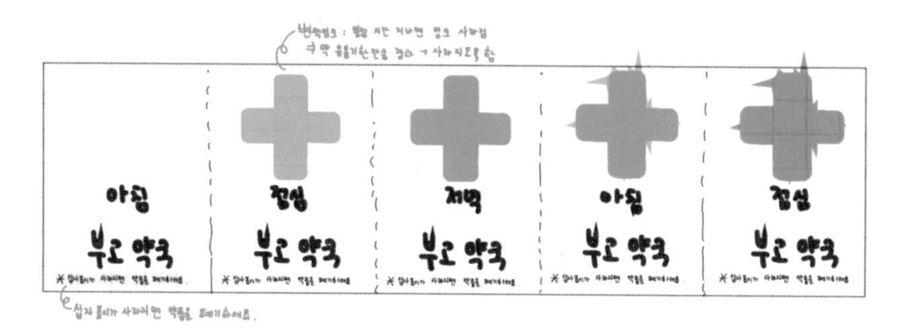

[그림 86] 변색 잉크를 사용한 제조약품 포장지 구상

[사례 17] 물 발자국 인증제도 활성화를 위한 애플리케이션 개발

2019년 UN 보고서에 따르면, 우리나라는 1인당 이용 가능한 수자원량이 세계 153개 국가 중 129위로 물 스트레스 국가로 분류되었다. 학생들은 수자원 전문가의 자문을 통해 국내외 수자원 현황에 대해 알아보고, 실제 피해 사례에 대해 들으며 해당 문제의 심각성을 깨달았다. 이에 학생들은 시민들의 수자원 문제에 대한 인식을 높이고, 이러한 인식이 수자원 절약 습관으로 이어지기 위한 방안으로 물 발자국 제도의 활성화가 필요하다고 판단했다. 물 발자국 제도는 일상생활에서 사용하는 제품을 생산하고 소비하는데 얼마나 많은 양의 물이 필요한지 나타내주는 지표로, 일상 속 물 사용량을 물 발자국 지표로 계산해 볼 수 있는 애플리케이션을 개발해 보았다. 개발한 애플리케이션을 QR코드를 통해 배포하고, 7일간 사용한 사람들을 대상으로 후기를 조사했다. 그 결과 많은 사람들이 애플리케이션 사용 후 물 사용량이 줄어든 것을 확인할 수 있었다. 또한 사용자의 피드백을 받아 사용 알림 기능, 매일 사용량을 기록할 수 있는 기능을 추가하는 등 수정 및 보완 과정을 거쳐 최종 애플리케이션을 제작하여 배포했다.

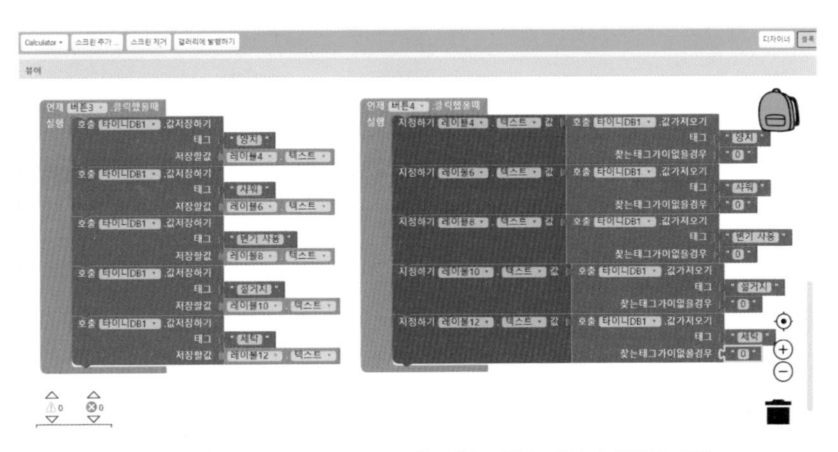

[그림 87] 물 발자국 인증제도 활성화를 위한 애플리케이션 개발

[사례 18] 환경을 살리는 공회전 멜로디

여름철이나 겨울철에 자동차 운행을 하지 않고 엔진만 가동하여 냉난방을 이용하는 운전자들이 종종 있다. 공회전 시간이 길어지면 매연 발생량이 증가해서 대기 중 미세먼지의 농도도 높아지게 된다. 이에, 우리나라에서는 2016년 7월부터 공회전 제한 제도를 마련하여 공회전 제한 장소를 지정하고 있으며, 5분 이상 공회전 시 과태료를 부과하고 있다. 학생들은 공회전으로 인한 대기오염에 대한 문제의 심각성을 알리고 이를 해결하기 위한 방안을 마련하기 위해 ENACT 프로젝트를 수행했다. 학생들은 여러 가지 아이디어 중 실현가능성과 실용성 등을 고려하여 시동이 켜진 상태로 일정시간 주행하지 않을 때 경고음을 발생시키는 '공회전 알람 장치'를 제안했다. 지역 주민들에게 공회전의 심각성에 대해 알리고, 공회전 알람 장치에 대한 아이디어를 직접 개발한 알람과 함께 소개하고 설문조사를 통해 피드백을 수집하기도 하였다. 일부 시민들은 60－70db 정도의 알람 소리가 적절하며, 알람 뿐만 아닌 자동차 대시보드 표시등에도 공회전 경고 표시가 나타났으면 좋겠다는 의견을 주었다.

[그림 88] 설문조사에 근거한 공회전 알람 장치 고안

INDEX | 색인

이현주, 최유현, 남창훈, 옥승용, 심성옥, 황요한, 김가형(2020). 이공계 대학생의 사회적 책임감 함양을 위한 ENACT 모형의 개발과 교육적 함의. **공학교육연구, 23**(6), 3-16.

최유현, 고연주, 홍영지, 이현주, 황요한(2021). ENACT 프로그램 참여를 통한 예비 기술교사의 과학기술의 사회적 책임감과 교육 필요성에 대한 인식 변화 탐색. **교과교육학연구, 25**, 151-163.

김가형, 옥승용, 이현주, 고연주, 황요한(2021). 사회적 책임의식 함양을 위한 ENACT 모형 기반 기초설계 교과목의 비대면 수업 운영 사례. **공학교육연구, 24**(6), 3-19.

이현주(2018). SSI **교육이란 무엇인가: 과학기술관련 사회쟁점에 대한 사회참여와 실천을 위한 교육.** 서울: 박영 Story.

박희제, 성지은(2015). 더 나은 사회를 위한 과학을 향하여: 사회에 책임지는 연구혁신(RRI) 의 현황과 함의. **과학기술학연구, 15**(2), 99-133.

박영숙(2007). **전략적 사고를 위한 미래예측.** 서울: 교보문고.

Ko, Y., Shim, S. S., & Lee, H. (2021). Development and validation of a scale to measure views of social responsibility of scientists and engineers (VSRoSE). *International Journal of Science and Mathematics Education*, 1-27.

Hancock, T., & Bezold, C. (1994). Possible futures, preferable futures. *Healthcare Forum Journal, 37*(2), 23-29.

Voros, J. (2003). A generic foresight process framework. *Foresight, 5*(3), 10-21.

Glenn J. C. (2009). The futures wheel. In J. C. Glenn & T. J. Gordon (Eds.). *Futures research methodology-version 3.0.* Washington, DC: Millenium Project.

Beck, U. (1992). From industrial society to the risk society: Questions of survival, social structure and ecological enlightenment. *Theory, Culture & Society, 9*(1), 97-123.

유럽연합 PARRISE 프로젝트 웹사이트: https://www.parrise.eu

유럽연합 I SEE 프로젝트 웹사이트: https://iseeproject.eu/

캐나다 STEPWISE 프로그램 웹사이트: https://wordpress.oise.utoronto.ca/jlbencze/stepwise/

스웨덴 RISKEDU 웹사이트: http://www.riskedu.se/

ENACT 프로젝트 사례 수행자

ENACT 사례1: 박서희, 신유나, 이수민, 정윤서(이화여대 과학교육과)

ENACT 사례2: 장예은, 전유빈, 주연우, 조혜영(이화여대 환경공학과)

ENACT 사례3: 권애순, 이선우, 이윤원, 한재원(한경대 사회안전시스템공학부), 김동관(한경대 토목안전환경공학과)

ENACT 사례4: 구은진, 김동희, 남윤지, 전다정(이화여대 과학교육과)

기타 사례1: 변혜원, 양시은, 정재원, 최소린(이화여대 과학교육과)

기타 사례2: 오현선, 윤채은, 장원정, 홍민경(이화여대 과학교육과)

기타 사례3: 이주경, 이형주, 이혜나, 전지은(이화여대 과학교육과)

기타 사례4: 안다영, 안수진, 양나래, 우지원(이화여대 환경공학과)

기타 사례5: 문소윤, 박민주, 변성은, 조윤서(이화여대 과학교육과)

기타 사례6: 권태용, 권승혁, 김병준, 김하진(숭문중)

기타 사례7: 권경은, 김동우, 윤호준, 이원석(숭문중)

기타 사례8: 김수민, 신용승, 양수현, 윤지완(숭문중)

기타 사례9: 강지후, 김시온, 김재민, 서용현(숭문중)

기타 사례10: 정원영, 주현서, 최우빈, 허준영(숭문중)

기타 사례11: 김주영, 오승미, 이유진, 이지현(이화여대 환경공학과)

기타 사례12: 이가영, 이선민, 이선우, 이유민(이화여대 환경공학과)

기타 사례13: 이주연, 이희원, 임정현, 임지민(이화여대 환경공학과)

기타 사례14: 김은성, 인소정, 조은기, 한재경(이화여대 과학교육과)

기타 사례15: 김혜성, 서명교, 서민영, 이승은(이화여대 과학교육과)

기타 사례16: 김나연, 박세은, 정유민, 홍지민(이대부고)

기타 사례17: 강수민, 김지민, 송예빈, 조혁우(춘천교대)

기타 사례18: 강열매, 박창화(충남대 기술교육과)

각 사례는 연구진에서 일부 수정 및 보완하여 작성하였습니다.

저자소개

이현주

現 이화여자대학교 과학교육과 교수

과학기술관련 사회쟁점(SSI) 교육을 위한 프로그램 개발과 교사교육에 전문성이 있음. 『SSI 교육이란 무엇인가』(박영스토리) 발간 및 국내외 학술지 논문 게재, 교사연수·컨설팅 등을 통해 SSI 교육 확산을 위해 노력해왔음.

황요한

現 서울여자대학교 교양대학 조교수

이공계열 PBL 융합교육을 위한 모형 및 프로그램 개발에 전문성이 있음. SSI를 비롯한 실생활 문제를 공학적으로 해결해나가는 과정에서 학생들의 문제해결과 관련된 역량과 소양이 길러지도록 다양한 프로그램을 개발하고 있음.

고연주

現 이화여자대학교 해저드리터러시 융합교육연구소 연구원

과학교육과 교육공학의 접점을 살려, 과학기술관련 사회쟁점과 관련된 다양한 교육프로그램을 개발 및 적용해왔음. 최근에는 예비 교사와 이공계 대학생이 지녀야 할 과학기술에 대한 책임과 역할에 관심을 갖고, 미래에 선한 영향력을 행사할 수 있도록 돕는 데 힘쓰고 있음.

최유현

現 충남대학교 기술교육과 교수

문제해결학습, 디자인 싱킹기반 모델에 대한 전문성이 있음. 『디자인 싱킹 방법론: 미래교육을 디자인하다』(충남대출판문화원)를 발간하였으며, 발명, 리빙랩, SSI 교육 프로그램 개발 및 교사역량과 관련된 교육 및 연구 활동을 진행하고 있음.

옥승용

現 한경대학교 사회안전시스템공학부 교수

PBL 및 Design Thinking 등 다양한 교수법을 접목하여 창의적 공학설계 및 종합설계 교과목을 강의해왔으며 공학교육인증 평가위원으로 활동하였음. 한국공학교육학회 주관 『젊은 공학교육자상』을 수상한 바 있으며, 학생들을 지도하여 『전국 창의적 경진대회』 산업통상자원부장관상 및 『구조물 내진설계 경진대회』 한국지진공학회장상을 수상하기도 하였음.

남창훈

現 대구경북과학기술원 뉴바이올로지전공 부교수

면역학 전공의 연구자이면서 이공계 대학교육의 긍정적 변화에 깊은 관심을 가지고 있음. 과학의 대중화를 위해 '탐구한다는 것', '이타주의자' 등의 책자를 저술했고, 항체공학 및 바이오신소재와 관련된 다수의 국제 연구 논문들을 출간하였음.

심성옥

現 미국 볼 주립대학교 교육심리학과 교수

학습 동기를 높이기 위한 교수학습 전략과 학습환경 조성, 교사 및 부모의 역할에 대한 전문성이 있음. 인터넷 기반 동기 유발, 자기조절 학습 전략 프로그램 개발을 위해 노력하고 있음.

김가형

現 호주 모나쉬대학교 교육과정과 통합교육학부 교육연구원

지역사회연계 과학이슈(SSI) 및 서비스러닝 프로그램 개발·현장적용에 전문성 있음. 다양한 학교밖 과학관, 연구소 연계 프로그램 컨설팅·교육강사연수를 통해 지역리소스 활용과 지역사회로의 공헌활동 확산에 참여해왔음.

함께 해보는 과학기술 쟁점해결과 실천: ENACT 프로젝트

초판발행 2022년 2월 15일

지은이 이현주 · 황요한 · 고연주 · 최유현 · 옥승용 · 남창훈 · 심성옥 · 김가형
펴낸이 노 현

편 집 배근하
기획/마케팅 이후근
표지디자인 이영경
제 작 고철민 · 조영환

펴낸곳 ㈜ 피와이메이트
서울특별시 금천구 가산디지털2로 53 한라시그마밸리 210호(가산동)
등록 2014. 2. 12. 제2018-000080호
전 화 02)733-6771
f a x 02)736-4818
e-mail pys@pybook.co.kr
homepage www.pybook.co.kr
ISBN 979-11-6519-264-8 94370
979-11-6519-263-1(세트)

* 이 도서는 2019년 대한민국 교육부와 한국연구재단의 지원을 받아 수행된 결과물임
(NRF-2019S1A5A2A03041635)

정 가 22,000원(set)

박영스토리는 박영사와 함께하는 브랜드입니다.